LA LETTRE DE PIERRE À PHILIPPE

BIBLIOTHÈQUE COPTE DE NAG HAMMADI

LABORATOIRE D'HISTOIRE RELIGIEUSE

UNIVERSITÉ LAVAL

Éditeur en chef

JACQUES É. MÉNARD

Comité d'édition

HERVÉ GAGNÉ
BERNARD BARC – JEAN-PIERRE MAHÉ
MICHEL ROBERGE

Section « Textes »

1. – *La Lettre de Pierre à Philippe*
   Jacques É. MÉNARD (1977)

2. – *L'Authentikos Logos*
   Jacques É. MÉNARD (1977)

3. – *Hermès en Haute-Égypte*
   Jean-Pierre MAHÉ (*à paraître*)

4. – *La Prôtennoia Trimorphe*
   Yvonne JANSSENS (*à paraître*)

Section « Études »

BIBLIOTHÈQUE COPTE DE NAG HAMMADI

SECTION « TEXTES »

— 1 —

LA LETTRE
DE PIERRE À PHILIPPE

TEXTE ÉTABLI ET PRÉSENTÉ

PAR

Jacques É. MÉNARD

LES PRESSES DE L'UNIVERSITÉ LAVAL
QUÉBEC, CANADA
1977

À Monsieur le Doyen

et

Madame Marcel Simon

AVANT-PROPOS

Vers les années 1945 on découvrait à Nag Hammadi treize volumes renfermant quelque cinquante-cinq traités coptes, pour la plupart gnostiques. Cette découverte est avec celle des manuscrits de Qumrân la plus grande découverte du XXe siècle en matière de textes anciens.

En effet, elle vient jeter une lumière nouvelle sur une idéologie religieuse des premiers siècles chrétiens, la gnose, qui nous était certes connue par les grands hérésiologues des IIe et IIIe siècles (Irénée, Hippolyte, Épiphane) ou par certains traités tardifs du IIIe siècle, mais qui se révèle aujourd'hui plonger des racines profondes dans des origines pré-chrétiennes, ou, à tout le moins, para-chrétiennes. La gnose n'est pas une hérésie chrétienne. C'est avant tout une religion de salut qui repose sur la connaissance par l'homme de son propre « moi » : c'est en se reconnaissant lui-même que l'homme doit retrouver ses origines divines. Si la gnose est une connaissance des mystères du monde, — et en cela elle est une cosmologie —, elle est avant tout une anthropologie qui se hausse à la hauteur d'une sotériologie. On aura vite compris ce qu'elle peut renfermer d'analogies avec certaines tendances modernes. Mais elle demeure toujours de l'ésotérisme. Seul l'homme spirituel est sauvé, en se libérant de la sphère matérielle où il est plongé. Il doit reconnaître qu'il est porteur d'une semence, d'une étincelle céleste. Tels sont quelques-uns des secrets que la découverte de Nag Hammadi a arrachés aux sables d'Égypte.

En septembre 1974, Le Conseil des Arts du Canada accordait une subvention au *Laboratoire d'Histoire Religieuse* de l'Université Laval suite à l'élaboration d'un projet d'édition française intégrale des textes de Nag Hammadi présenté par les professeurs Hervé Gagné et Michel Roberge de la *Faculté de théologie de l'Université Laval* et par le professeur Jacques É. Ménard de l'*Université des Sciences Humaines* de Strasbourg. L'objectif du projet est la traduction française de chacun des traités avec, en regard, le texte copte collationné au Caire; cette traduction est précédée d'une introduction et accompagnée de notes de collation et de traduction, d'un commentaire et d'index grec et copte.

Le groupe de Laval est composé de jeunes chercheurs qui travaillent sous la direction du Professeur Michel Roberge de la Faculté de théologie et chercheur principal du projet. Chacun des chercheurs traduit un ou deux traités, qui font l'objet de recherches communes lors de « séminaires permanents » animés successivement par des spécialistes invités. Pour donner, en effet, au groupe de recherche une assistance formelle et efficace à cause des difficultés intrinsèques à l'œuvre et pour garantir à ce projet canadien un aspect de francophonie internationale, nous nous sommes assurés l'expertise d'agrégés, d'égyptologues, d'hébraïsants, d'iranisants et de syriacisants : ils sont belges, français, suisses et américains. Tous sont très au fait du gnosticisme et du copte. Regroupés à l'Université des Sciences Humaines de Strasbourg, sous la direction du Professeur Jacques É. Ménard, directeur scientifique du projet, chacun a pour tâche de traduire et de commenter un traité de la Bibliothèque de Nag Hammadi, de conseiller les chercheurs comme expert et spécialiste et d'animer respectivement les sessions intensives du groupe de Laval suivant un programme bien établi.

Les différents traités qui sont en voie de publication ou qui sont déjà prêts pour la publication sont : *l'Évangile selon Thomas*, *l'Évangile selon Philippe*, *l'Hypostase des Archontes* et *le Livre de Thomas l'Athlète* du Codex II, *les Actes de Pierre et des Douze Apôtres*, *la Brontè*, *l'Authentikos Logos*, *l'Ogdoade* et *l'Ennéade*, *la Prière* et *le Fragment du Logos Teleios* du Codex VI, *la Paraphrase de Sem*, *le Deuxième Traité du Grand Seth*, *l'Apocalypse de Pierre*, *les Leçons de Silvanos* et *les trois Stèles de Seth* du Codex VII, *la Lettre de Pierre à Philippe* du Codex VIII, *la Prôtennoia Trimorphe* du Codex XIII. Certains de ces traités étaient encore inédits, lorsque nous avons commencé à les collationner et à les étudier.

Pour procéder à cette édition, nous avons à notre disposition les planches photographiques éditées par un comité international de savants sous les auspices de l'UNESCO. D'abord photographiées sur le papyrus du Caire, elles sont soumises à des procédés photographiques spéciaux qui permettent de restituer le plus possible l'original lui-même.

Mais cela n'est pas encore suffisant dans le cas d'une édition comme la nôtre. Lors d'un colloque organisé par le Centre de Recherches d'Histoire des Religions de Strasbourg, nous nous sommes vite rendu compte de la nécessité de collationner au Caire même les papyrus déjà placés sous plexiglass, la lecture devant s'effectuer à l'aide de puissants rayons ultra-violets. Nous avons commencé à le faire en compagnie de membres des deux autres projets existant à l'heure actuelle : celui de l'Université Claremont (Californie) sous la direction de M. le Professeur J. M. Robinson et celui de l'*Arbeitskreis für koptisch-gnostische Schriften* de Berlin-Est sous la direction de M. le Professeur H. M. Schenke.

Il suffirait de comparer l'édition qu'une de nos collaboratrices a fait paraître de *la Prôtennoia Trimorphe* du Codex XIII dans *Le Muséon* LXXXVII,3-4 (1974) 341-413 et qui est basée sur les seules planches photographiques et celle, appuyée par une collation du texte sur le papyrus du Caire lui-même, qu'elle fait maintenant paraître dans notre collection. En effet, la très grande majorité des papyrus étant plus ou moins lacuneux, ce n'est qu'à l'aide des rayons ultra-violets que l'on peut déceler en marge des lacunes des lettres effacées dont il reste toutefois des traits encore bien lisibles. Et, très souvent, ces lettres permettent au lecteur averti de se livrer à des conjectures qui viennent combler la lacune, une fois que l'on a bien mesuré le nombre de lettres manquantes.

La Bibliothèque de Nag Hammadi comprend les traités suivants dont nous avons dressé la liste, lors de notre dernier séjour au Caire, grâce à l'aimable collaboration du Professeur J. M. Robinson. Cette liste comprend les numéros du codex et du traité, suivis de la pagination et de l'intitulé du traité et de son sigle :

I,1	I,1-16,30	L'Épître apocryphe de Jacques	ApocrJac
I,2	16,31-43,24	L'Évangile de Vérité	EvVer
I,3	43,25-50,18	Le Traité sur la Résurrection	Rhcg
I,4	51,1-140,25	<Le Traité Tripartite>	TracTri
I,5	[141,1-142, fin] 143,1-144,9	La Prière de l'Apôtre Paul	PrPaul
I,5a	144,10-11	Colophon	
II,1	1,1-32,9	L'Apocryphon de Jean	ApocrJn
II,2	32,10-51,28	L'Évangile selon Thomas	EvTh
II,3	51,29-86,19	L'Évangile selon Philippe	EvPhil
II,4	86,20-97,23	L'Hypostase des Archontes	HypArch
II,5	97,24-127,17	<L'Écrit sans titre>	Ecr sT
II,6	127,18-137,27	L'Exégèse de l'âme	ExAm
II,7	138,1-145,19	Le Livre de Thomas l'Athlète	ThAthl
II,7a	145,20-23	Colophon	
III,1	[1,1-13] 1,14-40,11	L'Apocryphon de Jean	ApocrJn
III,2	40,12-69,20	L'Évangile des Égyptiens	EvEgypt
III,3	70,1-90,13	Eugnoste le Bienheureux	Eug
III,4	90,14-119,18	La Sophia de Jésus-Christ	SJC
III,5	120,1-149,23	Le Dialogue du Sauveur	DialSauv
IV,1	1,1-49,28	L'Apocryphon de Jean	ApocrJn

XI,2c	[42,1-9] 42,10-43,20	Le Baptême C	BapC
XI,2d	43,21-38	L'Eucharistie A	EuchA
XI,2e	[44,1-14] 44,15-37	L'Eucharistie B	EuchB
XI,3	[45,1-4] 45,5-69,20	Allogenès	Allog
XI,4	69,21-72,33 [... 72,37]	Hypsiphrone	Hyps
XII,1*	[1*,1-14*, fin] 15*,1-34*,28 [35*,1-39,xx]	Les Sentences de Sextus	SSext
XII,2*	[39*,xx-53*,18] 53*,19-60*,30 [61*,1-67*, fin]	L'Évangile de Vérité	EvVer
XII,3*	[68*,1 ...] ...	Fragments	Frm
XIII,1	35*,1-50,24	La Prôtennoia Trimorphe	PrôTri
XIII,2*	50*,25-34 [51*,1-79*,xx]	<L'Écrit sans titre>	Ecr sT

BG (= Papyrus de Berlin 8502)

L'Évangile selon Marie, p. 7,7-19,5	EvMar
L'Apocryphon de Jean, p. 19,6-77,7	ApocrJn
La Sophia de Jésus-Christ, p. 77,8-127,12	SJC
Les Actes de Pierre, p. 128-141	ActPi

Signes critiques

Lettres pointées : non pas toutes les lettres détériorées, mais uniquement celles dont la lecture est matériellement incertaine. Leur état de conservation est décrit dans les notes de transcription et de traduction.

[   ] : lettre restituée
<   > : lettre ajoutée ou corrigée
{   } : lettre supprimée
(   ) : lettre corrigée par le scribe

Le ° après un mot dans la traduction française indique un terme grec dans le texte copte. Le signe + suivi d'un terme grec entre parenthèses dans la traduction française indique qu'il n'y est pas traduit.

* * *

Tous les travaux du *Projet Canadien sur les textes de Nag Hammadi* seront publiés par le *Laboratoire d'Histoire Religieuse* de l'Université Laval dans une nouvelle collection, qui a pour titre *Bibliothèque copte de Nag Hammadi*. La collection comprendra deux sections : *Section Textes* et *Section Études*, de façon à distinguer entre deux formes de publications ayant leur origine dans les travaux des chercheurs.

* * *

Nous ne saurions terminer ce trop bref Avant-propos sans adresser nos remerciements les plus sincères au Conseil des Arts du Canada pour sa compréhension des problèmes humains et religieux que soulève la nouvelle découverte de Haute-Égypte et pour ses généreuses subventions. Son Excellence Gamal Mokhtar, président de l'*Egyptian Organization of Antiquities*, nous a soutenus de sa considération personnelle et nous a permis l'accès au Musée copte du Vieux-Caire, où MM. les Professeurs Victor Girgis et Pahor Labib, actuel et ancien directeurs du Musée, M. Maher Salib, actuel conservateur et Mme Samiha Abd El Shahhed, chargée du Département des papyrus, nous ont si chaleureusement accueillis. Si cette édition française des textes de Nag Hammadi commence à voir le jour, nous le devons tout particulièrement à la collaboration de l'équipe américaine de *la Coptic Gnostic Library*, qui a mis à notre disposition tous les textes et les traductions existantes aussi bien que son matériel, et à une bienveillance particulière dont nous nous honorons, celle de M. le Professeur et Mme James Robinson. Les Index grec et copte, qui accompagnent chaque traité et qui constituent autant d'outils indispensables pour mieux saisir chaque terme dans son contexte immédiat et médiat, ont été uniformisés par M. et Mme Bernard Barc.

Hervé GAGNÉ   Jacques É. MÉNARD
Responsable du projet   *Chercheur principal*
Université Laval, Québec   *Directeur scientifique du projet*
Michel ROBERGE   *Université des Sciences Humaines*
Chercheur principal   *de Strasbourg*
Université Laval, Québec

BIBLIOGRAPHIE

ALLBERRY (C. R. C.), *A Manichaean Psalmbook*, Part II (*Manichaean Manuscripts in the Chester Beatty Collection*, 2), Stuttgart, 1938.

ANDREAS (F. C.), HENNING (W.), *Mitteliranische Manichaica aus Chinesisch-Turkestan*, I (*SPAW*, phil.-hist. Kl.), Berlin, 1932.

BERTRAND (D. A.), « Paraphrase de Sem et Paraphrase de Seth », in *Les textes de Nag Hammadi* [Colloque du Centre de Recherches d'Histoire des Religions, Strasbourg, 23 - 25 octobre 1974], éd. J. É. MÉNARD (*Nag Hammadi Studies*, 8), Leiden, 1975, p. 146-157.

BÖHLIG (A.), LABIB (Pahor), *Die koptisch-gnostische Schrift ohne Titel aus Codex II von Nag Hammadi* (*Deutsche Akademie der Wissenschaften zu Berlin*, Institut für Orientforschung, Vrf. Nr. 58), Berlin, 1962.

BULLARD (R. A.), *The Hypostasis of the Archons*, The Coptic Text with Translation and Commentary. With a Contribution by M. KRAUSE (*PTS*, 10), Berlin, 1970.

CRUM (W. E.), *A Coptic Dictionary*, Oxford, 1939.

HAMMAN (A.), « La Résurrection du Christ dans l'Antiquité chrétienne », *RevScR* 50 (1976) 1-24.

HARVEY (W. W.), *Irénée de Lyon. Adversus Haereses*, 2 vol., Cambridge, 1857.

HOLL (K.), *Epiphanius* (*Ancoratus und Panarion*), I (*GCS*, 25), Leipzig, 1915; II (*GCS*, 31), Leipzig, 1922.

KRAUSE (M.), LABIB (Pahor), *Gnostische und hermetische Schriften aus Codex II und Codex VI* (*ADAIK*, Koptische Reihe, 2), Glückstadt, 1971, p. 107-121.

KRAUSE (M.), « Die Petrusakten in Codex VI von Nag Hammadi », in *Essays on the Nag Hammadi Texts in Honour of Alexander BÖHLIG*, éd. M. KRAUSE (*Nag Hammadi Studies*, 2), Leiden, 1972, p. 42-46.

—, « Neue Texte », in *Christentum am Roten Meer*, II, éd. F. ALTHEIM, R. STIEHL, Berlin, 1973, p. 132-179.

MALININE (M.), PUECH (H.-Ch.), QUISPEL (G.), TILL (W.), *De Resurrectione* (*Epistula ad Rheginum*), Codex Jung F. XXII^r - F. XXV^r (p. 43-50), Zurich-Stuttgart, 1963.

MEES (M.), « Das Petrusbild nach ausserkanonischen Zeugnissen », *ZRGG* 27 (1975) 193-205.

MÉNARD (J. É.), *L'Évangile selon Philippe*. Introduction, texte, traduction, commentaire, Paris, 1967.

—, « Das Evangelium nach Philippus und der Gnostizismus », in *Christentum und Gnosis*, éd. W. ELTESTER (*BZNW*, 37), Berlin, 1969, p. 46-58.

—, *L'Évangile de Vérité* (*Nag Hammadi Studies*, 2), Leiden, 1972.

—, « Transfiguration et polymorphie chez Origène », in *EPEKTASIS* (Mélanges J. Daniélou), éd. J. FONTAINE, Ch. KANNENGIESSER, Paris, 1972, p. 367-372.

—, « Le 'rassemblement' dans le Nouveau Testament et la Gnose », in *Studia Evangelica*, VI, éd. E. A. LIVINGSTONE (*TU*, 112), Berlin, 1973, p. 366-371.

—, *L'Évangile selon Thomas* (*Nag Hammadi Studies*, 5), Leiden, 1975.

—, « Avant-Propos », in *Les textes de Nag Hammadi*, p. VII-X.

—, « L'Évangile selon Philippe et l'Exégèse de l'âme », in *Les textes de Nag Hammadi*, p. 56-67.

NAUCK (A.), *Porphyrii philosophi platonici Opuscula selecta* (*Teubner*), Leipzig, 1886.

NOCK (A. D.), FESTUGIÈRE (A. J.), *Corpus Hermeticum*, I-IV (*Collection des Universités de France*), Paris, 1954-1960.

PEEL (M. L.), *The Epistle to Rheginos*. A Valentinian Letter on the Resurrection. Introduction, Translation, Analysis and Exposition (*The New Testament Library*), Londres/Philadelphie, 1969.

PHILONENKO (M.), « Essénisme et gnose chez le Pseudo-Philon », in *Le origini dello gnosticismo* (Colloquio di Messina, 13-18 aprile 1966 [Testi e discussioni pubblicati a cura di Ugo BIANCHI, *Studies in the History of Religions, Supplements to Numen*, 12]), Leiden, 1967, p. 401-410.

POLOTSKY (H. J.), BÖHLIG (A.), *Kephalaia*, Erste Hälfte (Lieferung 1-10) (*Manichäische Handschriften der staatlichen Museen Berlin*, 1), Stuttgart, 1940.

PREUSCHEN (E.), *Origène. In Johannem* (*GCS*, 10), Leipzig, 1903.

PUECH (H.-Ch.), « Die Religion des Mani », in *Christus und die Religionen der Erde*, éd. F. KOENIG, II, Vienne, 1951, p. 499-563.

—, « Gnostische Evangelien und verwandte Dokumente », in *Neutestamentliche Apokryphen*, I³, éd. E. HENNECKE, W. SCHNEEMELCHER, Tübingen, 1969, p. 158-271.

QUISPEL (G.), *Ptolémée. Lettre à Flora* (*SC*, 24), Paris 1949 (rééd. 1966).

RUDOLPH (K.), « Der gnostische Dialog als literarischer Genus », in *Probleme der koptischen Literatur* (*Wissenschaftliche Beiträge*, 1 [1968], K2), Martin-Luther-Universität, Halle-Wittenberg, p. 85-107.

—, « Gnosis und Gnostizismus, ein Forschungsbericht », *ThR* 34 (1969) 121-175, 181-231.

SAGNARD (F. M. M.), *La gnose valentinienne et le témoignage de Saint Irénée* (*Études de Philosophie médiévale*, 36), Paris, 1947.

—, *Clément d'Alexandrie. Extraits de Théodote* (*SC*, 23), Paris, 1948.

SCHENKE (H. M.), *Der Gott « Mensch » in der Gnosis*. Ein religionsgeschichtlicher Beitrag zur Diskussion über die paulinische Anschauung von der Kirche als Leib Christi, Göttingen, 1962.

SCHMIDT (C.), TILL (W.), *Koptisch-gnostische Schriften*³ (*GCS*, 45), Berlin, 1959.

SCHNEEMELCHER (W.), « Petrusakten », in *Neutestamentliche Apokryphen*, II³, Tübingen, 1964, p. 188-190.

SEVRIN (J.-M.), « À propos de la Paraphrase de Sem », *Le Muséon* 88 (1975) 69-96.

TILL (W. C.), SCHENKE (H. M.), *Die gnostischen Schriften des koptischen Papyrus Berolinensis 8502* (*TU*, LX = V. Reihe, Bd. 5), Berlin, 1972.

—, *Koptische Grammatik* (*Saïdischer Dialekt*). Mit Bibliographie, Lesestücken und Wörterverzeichnissen (*Lehrbücher für das Studium der orientalischen Sprachen*, 1), Leipzig, 1955.

—, *Koptische Dialektgrammatik*², Munich, 1961.

VIELHAUER (P.), « Ἀνάπαυσις. Zum gnostischen Hintergrund des Thomas-

Evangeliums », in APOPHORETA, éd. W. ELTESTER (Festschrift Ernst
HAENCHEN = *BZNW*, 3), Berlin, 1964, p. 281-299.
WENDLAND (P.), *Hippolytus Werke. Refutatio omnium haeresium* (*Elenchos*)
(*GCS*, 26), Leipzig, 1916.

ABRÉVIATIONS

ADAIK = Abhandlungen des Deutschen Archäologischen Instituts Kairo
BZNW = Beihefte zur Zeitschrift für die Neutestamentliche Wissenschaft
GCS   = Griechische Christliche Schriftsteller
PTS   = Patristische Texte und Studien
RevScR = Revue des Sciences Religíeuses
SC   = Sources Chrétiennes
SPAW = Sitzungsberichte der Preussischen Akademie der Wissenschaften
ThR   = Theologische Rundschau
TU   = Texte und Untersuchungen
ZRGG = Zeitschrift für Religions- und Geistesgeschichte

INTRODUCTION

Trois textes de Nag Hammadi sont attribués à Pierre : les *Actes de Pierre et des Douze* (AcPi12Ap) du Codex VI (p. 1,1-12,22), l'*Apocalypse de Pierre* (ApocPi) du Codex VII (p. 70,13-84,14) et la *Lettre de Pierre à Philippe* (PiPhil) du Codex VIII (Nº d'inventaire du Musée copte 10550, p. 132,10-140,26) [1]. Le texte de cette dernière est très bien conservé et sa langue est du sahidique, ainsi que la consultation de notre index le révèle.

A. Description de la Lettre

Le titre de cette Lettre (p. 132,10-11) ne se rapporte qu'à une infime partie du traité, jusqu'à la p. 133,8. Ce ne sont en effet que les p. 132,12 à 133,8 qui lui sont consacrées. Elle est construite à la manière des Lettres de l'Antiquité et elle débute avec le nom de l'expéditeur (p. 132, 12-14) : « Pierre, l'Apôtre de Jésus-Christ » et avec celui du destinataire : « à Philippe, notre frère bien-aimé et notre compagnon d'apostolat, et aux frères qui sont avec toi ». Ce qui est suivi vraisemblablement d'une salutation (p. 132,15) et du corps de la Lettre : « Je veux que tu apprennes, notre frère, que nous avons reçu des commandements (ἐντολή) de notre Seigneur et Sauveur (σωτήρ) de tout l'univers (κόσμος); que nous nous réunissions, que nous enseignions et que nous prêchions le salut qui nous a été promis par notre Seigneur Jésus, le Christ » (p. 132,16-133,1). Il est à remarquer que Philippe ne connaît pas l'ordre de mission. C'est parce qu'il s'est séparé de Pierre et des disciples (p. 133,1-2), mais aussi que Pierre et les autres ne savent pas exactement comment il faut annoncer l'Évangile (p. 133,4-5). C'est pourquoi ils veulent se réunir, et Pierre invite Philippe à se joindre à eux. La p. 133,8-11

---

[1] Cf. K. RUDOLPH, « Gnosis und Gnostizismus, ein Forschungsbericht », *ThR* 34 (1969) 139; M. KRAUSE, « Die Petrusakten in Codex VI von Nag Hammadi », in *Essays on the Nag Hammadi Texts in Honour of* Alexander BÖHLIG, éd. M. KRAUSE (*Nag Hammadi Studies*, 2), Leiden, 1972, p. 42-46; pour les *Actes de Pierre et des Douze*, cf. M. KRAUSE, Pahor LABIB, *Gnostische und hermetische Schriften aus Codex II und Codex VI* (*ADAIK*, Koptische Reihe, 2), Glückstadt, 1971, p. 107-121 et pour l'*Apocalypse de Pierre*, cf. M. KRAUSE, « Neue Texte », in *Christentum am Roten Meer*, II, éd. F. ALTHEIM, R. STIEHL, Berlin, 1973, p. 152-179. Nous avons pu profiter des travaux de Fr. WISSE qui prépare l'édition de la PiPhil pour la CGL (*Coptic Gnostic Library*) de Claremont.

décrit l'attitude de Philippe : après avoir reçu et lu la lettre, il vient joyeusement à Pierre.

C'est alors que ce dernier réunit les autres disciples. Ils montent sur le Mont des Oliviers qui est décrit comme le lieu où ils avaient l'habitude de se réunir autour du Christ bienheureux (μακάριος), alors qu'il était corporellement avec eux (p. 133,15-17). Les Apôtres se jettent à genoux et prient deux fois (p. 133,17-20). La première prière (p. 133, 21-134,1) est adressée au Père. Le Christ y est appelé le jeune homme saint qui est devenu pour eux la Lumière (p. 133,27). Dans la deuxième prière (p. 134,3-9) les disciples s'adressent au Fils, le Christ (fils de la Vie, fils de l'Immortalité, qui est dans la Lumière, le Rédempteur). Il ne doit pas, comme la p. 133,4-5 aurait pu le laisser présupposer, enseigner aux disciples comment annoncer l'Évangile, mais il doit leur conférer une force (p. 134,8-9). Une grande Lumière leur apparaît à ce moment, et toute la montagne en est éclairée (p. 134,9-13) et ils entendent une voix qui leur dit : « Écoutez mes paroles, car <je> viens vous parler. Pourquoi me cherchez-vous? Je suis Jésus, le Christ, qui est avec vous pour l'éternité » (p. 134,15-18). À cette question du Maître les Apôtres répondent et posent quatre questions au Seigneur : *a*) ils veulent connaître la Déficience des Éons (p. 134,21-22); *b*) et le Plérôme; *c*) comment les Archontes les retiennent dans la demeure (ici-bas, sur terre), ou comment ils sont venus en ce lieu, ou comment ils en repartiront, ou comment ils ont la liberté de parole (p. 134,23-135,1) et *d*) pourquoi les Puissances les combattent (p. 135,2).

C'est alors qu'une voix leur parvient de l'intérieur de la Lumière : « C'est vous-mêmes qui témoignez que je vous ai dit toutes ces choses. Mais (ἀλλά) à cause de votre incrédulité je vais parler à nouveau » (p. 135,4-8). Et jusqu'à la p. 137,13 le Seigneur répond aux quatre questions :

a) de la p. 135,8 à la p. 136,15 il répond à la question sur la Déficience des Éons. C'est la désobéissance et la déraison de la Mère qui se sont manifestées : la Sophia, sans la puissance et la grandeur du Père, a voulu se susciter des Éons. Grâce à sa parole est né l'Authadès qui s'est emparé de la partie qui restait d'elle et cette portion est devenue la Déficience des Éons. Il a établi des Puissances et des Autorités qui se sont réjouies d'avoir été créées : parce qu'elles n'ont pas connu Celui qui préexiste, elles louent l'Authadès qui est vaniteux et jaloux et qui a commandé aux Puissances de façonner des corps mortels;

b) de la p. 136,16 à la p. 137,4 Jésus répond à la question sur le Plérôme : le Plérôme, c'est lui, et il a été envoyé dans un corps à cause de la semence déchue. Il est venu dans la contrefaçon matérielle et terrestre fabriquée par les Archontes, mais ils ne le reconnurent pas, ils le prirent pour un homme mort. Il a parlé avec ceux qui lui appartiennent, qui lui sont propres, et il leur a concédé le droit d'entrer dans l'héritage de leur Père;

c) la p. 137,4-9 renferme la réponse du Christ à la question de l'emprisonnement des siens par les Puissances : « Si vous vous dépouillez de la corruption, alors (τότε) vous deviendrez des luminaires (φωστήρ) au milieu des hommes morts »;

d) à la question du combat mené par les spirituels contre les Puissances (p. 137,10-13) le Christ répond qu'elles n'ont pas de repos et qu'elles ne veulent pas qu'ils soient sauvés.

C'est alors que les Apôtres posent une cinquième question complémentaire : « Seigneur, enseigne-nous comment combattre les Archontes (ἄρχων), puisque (ἐπείδη) les Archontes (ἄρχων) sont au-dessus de nous » (p. 137,13-17). La réponse va jusqu'à la p. 138,3 : les Archontes sont opposés à l'homme intérieur. Aussi les disciples doivent-ils les combattre : ils doivent se rassembler en un endroit et annoncer le salut dans le monde, se ceindre de la puissance de leur Père et adresser leur prière au Père. Et celui-ci continuera de les aider. Jésus fait appel à sa promesse antérieure, alors qu'il était présent corporellement au milieu des siens.

Il jaillit à ce moment-là dans le ciel un éclair, accompagné d'un coup de tonnerre, qui ravit aux yeux des Apôtres celui qui leur était apparu (p. 138,3-7). Ils remercient le Seigneur et retournent à Jérusalem. En route ils s'entretiennent de la Lumière (p. 138,7-14) et ils se disent (p. 138,15-16) : « Si lui, notre Seigneur, a souffert, à plus forte raison nous! » À cela Pierre répond (p. 138,18-20) : « Il a souffert à cause de nous et il nous faut aussi souffrir à cause de notre petitesse ». Jésus leur parle à nouveau (« alors [τότε] une voix parvint jusqu'à eux », p. 138, 21-22; cf. p. 134,13-14; 135,3-4; 137,18) : « Je vous ai dit bien des fois qu'il vous faut souffrir, qu'il faut que l'on vous mène dans des synagogues et devant des gouverneurs (ἡγέμων), afin que (ὥστε) vous souffriez » (p. 138,22-28). Et les Apôtres retournent joyeusement à Jérusalem et au Temple, et ils enseignent le salut au nom du Seigneur, en guérissant une multitude (p. 139,6-9).

La Lettre se poursuit dans une recommandation de Pierre à ses disciples (p. 139,10ss) de prêter l'oreille à ses paroles. Rempli de l'Esprit-Saint il dit : « Assurément, notre Seigneur Jésus, quand il était dans le corps, nous a donné des signes de toute chose; car c'est lui qui est descendu. Mes frères, écoutez ma voix ». ... « Notre luminaire ($\phi\omega\sigma\tau\acute{\eta}\rho$) Jésus est descendu et il a été crucifié et il a porté ($\phi o\rho\epsilon\hat{\iota}\nu$) une couronne d'épines, et il a revêtu un vêtement de pourpre, et il a été cloué sur du bois, et il a été inhumé dans une tombe, et il s'est ressuscité des morts » (p. 139,14-21).

Le discours de Pierre se termine par une prière (p. 140,3-6) : « Notre Seigneur, le Christ, Toi qui es à l'origine ($\dot{a}\rho\chi\eta\gamma\acute{o}s$) [de notre repos], donne-nous un esprit ($\pi\nu\epsilon\hat{v}\mu a$) d'intelligence ($\dot{\epsilon}\pi\iota\sigma\tau\acute{\eta}\mu\eta$) afin que nous aussi [nous] accomplissions des miracles ». Alors Pierre et les autres Apôtres ($\dot{a}\pi\acute{o}\sigma\tau o\lambda os$) voient à nouveau le Christ et sont remplis d'un Esprit ($\pi\nu\epsilon\hat{v}\mu a$) Saint, et chacun opère des guérisons. Et ils se divisent pour annoncer le Seigneur Jésus et ils rejoignent leurs compagnons : ils les embrassent ($\dot{a}\sigma\pi\acute{a}\zeta\epsilon\sigma\theta a\iota$) en disant « Amen » (p. 140,7-15). Jésus leur apparaît une dernière fois et leur dit : « Que la paix ($\epsilon\dot{\iota}\rho\acute{\eta}\nu\eta$) soit avec vous tous et avec quiconque croit en mon nom. Et ($\delta\acute{\epsilon}$) quand vous partirez, qu'il y ait en vous joie, grâce et puissance. Et ne craignez pas; et voici que je suis avec vous pour l'éternité » (p. 140,15-23). Les Apôtres se séparent alors aux quatre points cardinaux pour annoncer l'Évangile (p. 140,22-25). « ... et ils s'en allèrent dans la puissance de Jésus en paix » (p. 140,25-26).

Le plan que l'on peut dégager de ces éléments assez disparates est le suivant :
1. La Lettre de Pierre à Philippe (p. 132,12-133,8).
2. Rassemblement, prières et apparition du Sauveur (p. 133,8-134,18).
3. Questions des disciples (p. 134,18-135,2) :
    a) la Déficience des Éons (p. 134,21-22);
    b) le Plérôme (p. 134,22);
    c) les Archontes et la libération des disciples (p. 134,23-135,1);
    d) le combat avec les Puissances (p. 135,2).
4. Réponses du Sauveur (p. 135,3-137,13).
5. Question complémentaire des disciples (p. 137,13-17).
6. Réponse du Sauveur (p. 137,17-138,3).
7. Disparition du Sauveur et propos sur la souffrance (p. 138,3-140,3).
8. Prière de Pierre (p. 140,3-7).
9. Répartition des disciples pour l'annonce de l'Évangile (p. 140,7-27).

B. LE GENRE LITTÉRAIRE DE LA LETTRE

À la description de cet opuscule on a la nette impression d'être en présence d'un traité ou d'un manuel dogmatique gnostique beaucoup plus que d'une Lettre. En effet, les p. 135 à 138 renferment différents points de la doctrine gnostique présentés sous forme schématique : la Déficience des Éons ou des Puissances qui, sous la direction de la Mère-Sophia et du Démiurge appelé Authadès, comme dans l'*Apocryphon de Jean* (ApocrJn) (cf. BG, p. 46,1 Till) ou dans l'*Hypostase des Archontes* (HypArch) (p. 90,29; 92,27; 94,17), ont construit un monde matériel qui n'est qu'une contrefaçon du monde céleste; au contraire, le Plérôme, c'est le Christ qui en est descendu pour sauver la semence spirituelle tombée dans le monde dominé par les Archontes; dans leur combat contre ces derniers les disciples ou les pneumatiques doivent répandre la promesse du salut et souffrir la persécution (p. 138-140). Ce sont eux qui sont appelés à souffrir à cause de la Déficience (p. 138,19-20) et de la transgression (p. 139,23) de Sophia, car ce n'est qu'en apparence que le Christ-Illuminateur a souffert (p. 139,15).

Et ces différents points de doctrine sont exposés à l'occasion de questions fictives des disciples. Le genre littéraire de *quaestiones*, posées par les Apôtres, et de *responsiones* données par le Christ, est particulièrement bien illustré, par exemple, dans la littérature apocryphe par l'*Epistula Apostolorum*, mais c'est aussi un genre littéraire répandu dans l'Antiquité [2].

L'opuscule paraît être si peu une Lettre qu'on serait porté à croire qu'il s'agit plutôt d'un fragment d'une Lettre de Pierre à Philippe dont on n'aurait conservé que le début avec la mention de l'expéditeur et du destinataire, avec la salutation habituelle et la description de la situation de Philippe séparé des autres disciples (p. 132,10-133,8). La Lettre ne prend à proprement parler d'un traité qui en compte neuf et qui est fait essentiellement de questions et de réponses, à la manière d'un traité dogmatique. On pourrait donc avoir affaire ici à un fragment, comme on en trouve par exemple dans les *Actes d'Apôtres* de la littérature apocryphe où les éditeurs ont regroupé différents fragments de la vie d'Apôtres, en y introduisant des sous-titres. À la fin du traité, d'ailleurs, la double mention du retour des Apôtres à Jérusalem, la double annonce de l'Évangile et les différentes apparitions du Sauveur sont autant d'indices de fragments ou de morceaux réunis ultérieurement par le rédacteur final. Notre opuscule appartiendrait à des Actes apocryphes des Apôtres dont ne nous aurait été conservé au début qu'un fragment

---

[2] Cf. K. RUDOLPH, « Der gnostische Dialog als literarischer Genus », in *Probleme der koptischen Literatur* (*Wissenschaftliche Beiträge*, 1 [1968], K2), Martin-Luther-Universität, Halle-Wittenberg, p. 85-107.

de Lettre suivi d'un traité dogmatique. On pourrait alors donner comme titre à l'ensemble :

Fragment apocryphe des Actes des Apôtres

dans lequel aurait été intégré le début d'une Lettre de Pierre à Philippe jusqu'à la p. 133,8a. Et à la l. 8b de cette même page commencerait à proprement dire le traité.

Mais cette explication ne demeure qu'une hypothèse de travail, et même le terme « fragment » peut porter à faux. Il ne saurait s'agir tout au plus que d'un Extrait de Lettre dont se serait servi le rédacteur pour introduire son traité dogmatique. Qui plus est, il serait quelque peu téméraire de modifier pour autant le titre déjà reçu de l'écrit. Le titre de *La Lettre de Pierre à Philippe* donné à l'opuscule, malgré le peu de place que la Lettre y occupe, n'est pas une exception dans la bibliothèque de Nag Hammadi. On a donné, par exemple, à la *Paraphrase de Sem* ce titre, même si Sem n'intervient que dans quelques pages et que le reste de l'écrit traite de thèmes qui n'ont rien à voir avec Sem et qui peuvent être séthiens [3]. Et il n'est pas inouï que le titre de l'ouvrage soit renfermé dans l'*incipit*, en l'absence de colophon. On l'a vu pour l'*Évangile de Vérité*. Quelque grec que soit ce dernier, on a le droit de retrouver son titre dans son *incipit*, à l'exemple de certains mss grecs, ainsi que nous l'avons nous-même souligné dans notre dernier commentaire de l'*Évangile de Vérité* [4]. Et même, pour ce qui est de notre Lettre, les mots « La Lettre que Pierre envoya à Philippe » sont en retrait par rapport au reste du texte du papyrus. Ne serait-ce pas là un indice que tel était bien le titre dans l'esprit du rédacteur?

C. La doctrine de la Lettre

À première vue, on pourrait croire que la Lettre est un écrit judéo-chrétien, vu la place importante occupée par Pierre. Mais c'est aussi le cas des AcPi12Ap ou de l'ApocPi ou, encore, de l'*Épître apocryphe*

---

[3] Cf. D. A. Bertrand, « Paraphrase de Sem et Paraphrase de Seth », in *Les Textes de Nag Hammadi* [Colloque du Centre de Recherches d'Histoire des Religions, Strasbourg, 23-25 octobre 1974], éd. J. É. Ménard (*Nag Hammadi Studies*, 8), Leiden, 1975, p. 146-157; J.-M. Sevrin, « À propos de la Paraphrase de Sem », *Le Muséon* LXXXVIII, 1-2 (1975) 69-96.

[4] Cf. J. É. Ménard, *L'Évangile de Vérité* (*Nag Hammadi Studies*, 2), Leiden, 1972, Introduction, p. 11-12.

de Jacques (ApocrJac) du Codex I. Dans ce dernier écrit Pierre est l'auditeur privilégié avec Jacques (p. 1,12) de l'enseignement secret de Jésus. C'est encore en compagnie de Jacques (p. 2,34) qu'il reçoit cet enseignement, et les deux décrivent ce qui se passera à la fin des temps. Pierre s'adresse enfin au Sauveur à deux reprises (p. 3,39;13,26).

Mais dans les autres écrits gnostiques Pierre joue un rôle bien secondaire; en certains cas son nom n'est même pas une seule fois mentionné. Dans l'*Évangile selon Thomas* (EvTh) il ne parle que deux fois (Logia 13 et 114) [5], et il n'est pas celui qui, comme Thomas, s'est identifié au Maître et est devenu son « jumeau ». Dans d'autres textes, où les disciples sont les interlocuteurs de Jésus et où certains sont nommés par leur propre nom, — c'est le cas de la *Sophia de Jésus-Christ* (SJC) et du *Dialogue du Sauveur* (DialSauv) [6] —, le nom de Pierre est passé sous silence, tout comme dans les deux *Livres de Ieoû*. Dans le Papyrus de Berlin 8502 (= BG) il n'apparaît que dans l'*Évangile de Marie* (EvMar) (p. 7-18) et dans les *Actes de Pierre* (ActPi) (p. 128-141) [7]. Et il est à noter que dans l'EvTh (Logion 114) il est comme dans l'EvMar (p. 17,16ss) ou la *Pistis Sophia* l'adversaire de Marie-Madeleine, c'est-à-dire de celle qui est le modèle par excellence du gnostique [8].

Il y avait donc certains gnostiques qui ne se réclamaient pas de Pierre, mais d'autres, au contraire, qui se rattachaient à lui. Le groupe d'écrits gnostiques auquel appartient la Lettre (AcPi12Ap, ApocPi) n'est d'ailleurs qu'une illustration du rattachement de certains gnostiques aux Apôtres. C'est ainsi que de Thomas se réclament l'EvTh, les *Actes de Thomas* et les *Psaumes de Thomas* manichéens, et nous avons un *Évangile selon Philippe* (ÉvPhil) et des *Actes de Philippe*. Et il se pourrait fort bien que notre Lettre veuille donner l'impression d'un rapprochement entre le groupe de Pierre et celui de Philippe. Les gnostiques aimaient remonter à l'Unité originelle qui existait aux débuts de l'Église primitive

---

[5] Cf. J. É. MÉNARD, *L'Évangile selon Thomas* (*Nag Hammadi Studies*, 5), Leiden, 1975, p. 57-58,74.

[6] Cf. BG, p. 79,18; 82,19; 86,6; 90,1; 93,13; 117,13 : seuls sont mentionnés Marie-Madeleine, Matthieu, Philippe et Thomas; le *Dialogue du Sauveur* ne parle que de Judas, de Marie et de Matthieu, cf. H.-Ch. PUECH, « Gnostische Evangelien und verwandte Dokumente », in *Neutestamentliche Apokryphen*, I[3], éd. E. HENNECKE, W. SCHNEEMELCHER, Tübingen, 1969, p. 173-174.

[7] Cf. W. SCHNEEMELCHER, « Petrusakten », in *Neutestamentliche Apokryphen*, II[3], Tübingen, 1964, p. 188-190.

[8] Cf. C. SCHMIDT, W. TILL, *Koptisch-gnostische Schriften*[3] (*GCS*, 45), Berlin, 1959, p. 104,21ss.

et, même au-delà, autour de Jérusalem et du Temple. C'est la raison profonde de la mention de l'une et de l'autre dans notre écrit.

La doctrine de la Lettre est nettement gnostique. Comme dans le valentinisme reproduit par la Grande Notice d'Irénée ou par les *Extraits de Théodote* ou, encore, dans l'ApocrJn, la Déficience ($\dot{v}\sigma\tau\acute{\epsilon}\rho\eta\mu\alpha$) est provoquée par la Mère, la Sophia déchue, qui voulut dans sa désobéissance et sa déraison créer, en dehors de l'ordre établi par le Père, des Éons semblables à ceux des syzygies célestes [9]. Et l'action combinée de la Mère et du Démiurge produit des semences spirituelles qu'ils sèment dans le monde parmi les éons morts (p. 135,25-26) et sur qui ils laissent dominer les Puissances et les Autorités. À l'exemple du Démiurge de la Grande Notice d'Irénée (*Adv. Haer.*, I,5,1ss) [10] ou de celui de l'ApocrJn [11], de l'HypArch [12] ou de l'Écrit sans titre du Codex II (Ecr sT) [13], l'Authadès de notre Lettre s'enorgueillit de son œuvre et particulièrement de la louange des Puissances (p. 136,6-7), mais son œuvre n'est qu'une contrefaçon (p. 136, 8.14). Le Plérôme, au contraire, c'est le Christ en qui sont rassemblées toutes les semences spirituelles [14]. Il descend sur terre en passant à travers les sphères des Archontes, il leur est invisible (p. 136,20ss) et il n'y a que les siens, les parfaits, qui le reconnaissent [15] et qui viennent partager l'héritage de leur Père. Tel est le repos promis aux disciples (p. 137,10-13), c'est-à-dire le salut. Le « repos » est une des expressions que tous les écrits gnostiques emploient pour décrire le salut [16].

Afin d'atteindre ce repos, l'âme doit combattre les Archontes. Et les Apôtres pourront les combattre grâce à l'enseignement ésotérique qu'ils auront reçu et en se ceignant de la puissance du Père (p. 137,20-27), ainsi que l'écrit l'auteur de l'EvTh (Logion 21), c'est-à-dire de la science qui préserve de la nature voluptueuse, cf. HypArch, p. 90,15-19. Mais l'auteur de notre Lettre diffère de Thomas (Logia 14,104) dans sa doctrine

---

[9] Cf. F. M. M. SAGNARD, *La gnose valentinienne et le témoignage de saint Irénée* (*Études de Philosophie médiévale*, 36), Paris, 1947, p. 148ss.

[10] Cf. ID, *ibid.*, p. 180ss.

[11] Cf. BG, p. 38,17ss.

[12] Cf. p. 86,30-31 Bullard.

[13] Cf. p. 103,8-13 Böhlig - Pahor Labib.

[14] Cf. *Ext. Théod.*, 21,3; 26,3; 31,1; 32,2 Sagnard.

[15] Cf. *Évangile de Vérité*, p. 31,4-9; IRÉNÉE, *Adv. Haer.*, I, 24,4.

[16] Cf. P. VIELHAUER, « Ἀνάπαυσις. Zum gnostischen Hintergrund des Thomas-Evangeliums », in APOPHORETA, éd. W. ELTESTER (Festschrift Ernst HAENCHEN = BZNW, 30), Berlin, 1964, p. 281-299.

sur la prière (p. 137,27-138,2) : elle est une condition nécessaire à l'aide du Père dans l'accomplissement du salut.

À la prière doit se joindre la souffrance, celle d'être plongé dans la diminution (p. 138,20;139,23). Seuls les disciples peuvent souffrir, le Christ n'étant venu que dans la ressemblance. La doctrine docétiste d'un Christ ne souffrant que dans une chair apparente anticipe sur la doctrine manichéenne du *Jesus patibilis*, c'est-à-dire d'un Jésus constitué de l'ensemble des parcelles de lumière tombées dans la matière [17]. Mais elle est déjà celle, par exemple, de l'ApocPi du Codex VII (p. 81, 1-32) ou celle des Basilidiens dont le Christ se rit des Puissances auxquelles il est devenu invisible [18].

Comme on peut le constater d'après ces critères d'analyse interne, *la Lettre de Pierre à Philippe* est nettement de facture gnostique, même si tous les traités de la bibliothèque copte de Nag Hammadi, tels les *Leçons de Silvanos* (Silv) du Codex VII ou les *Sentences de Sextus* (SSext) du Codex XII ou même l'*Exégèse de l'âme* (ExAm) du Codex II ne le sont pas, ainsi que l'a bien mis en évidence le Colloque d'octobre 1974 tenu à Strasbourg sur les textes de Nag Hammadi [19]. Le grand thème gnostique exploité par la Lettre est celui du rassemblement, de la σύλλεξις.

---

[17] Cf. H.-Ch. Puech, « Die Religion des Mani », in *Christus und die Religionen der Erde*, éd. F. Koenig, II, Vienne, 1951, p. 545.

[18] Cf. Irénée, *Adv. Haer.*, I, 24,4; J. É. Ménard, *L'Évangile selon Philippe*. Introduction, texte, traduction, commentaire, Paris, 1967, p. 216.

[19] Cf. J. É. Ménard, « Avant-Propos », in *Les textes de Nag Hammadi*, p. VII-X.

TEXTE

ET

TRADUCTION

10 ⲧⲉⲡⲓⲥⲧⲟⲗⲏ ⲙ̄ⲡⲉⲧⲣⲟⲥ ⲉⲧⲁϥ
ϫⲟⲟⲩⲥ ⲙ̄ⲫⲓⲗⲓⲡ̄ⲡⲟⲥ : >————
ⲡⲉⲧⲣⲟⲥ ⲡⲁⲡⲟⲥⲧⲟⲗⲟⲥ ⲛ̄ⲧⲉ ⲓ̄[ⲥ̄]
ⲡⲉⲭ̄ⲥ̄ ⲙ̄ⲫⲓⲗⲓⲡ̄ⲡⲟⲥ ⲡⲉⲛⲥⲟⲛ ·ⲙ̄
ⲙⲉⲣⲓⲧ̇ ⲙ̄ⲛ ⲡⲉⲛϣⲃⲏⲣⲁⲡⲟⲥⲧ[ⲟ]

15 ⲗⲟⲥ ⲙ̄ⲛ ⲛ̄ⲥⲛⲏⲩ ⲉⲧⲛ̄ⲙⲙⲁⲕ ⲭⲉ̣[ⲓⲣⲉ]
ϯⲟⲩⲱϣ ⲇⲉ ⲛ̄ⲕⲓⲙⲉ ⲡⲉⲛⲥⲟⲛ [ϫⲉ]
ⲁⲛϫⲓ ⲛ̄ϩⲉⲛⲉⲛⲧⲟⲗⲏ ⲛ̄[ⲧ]ⲟⲟⲧϥ̄ [ⲙ̄]
ⲡⲉⲛϫⲟⲉⲓⲥ ⲙ̄ⲛ ⲡⲥⲱ[ⲧ]ḥⲣ ⲛ̄[ⲧⲉ]
ⲡⲕⲟⲥⲙⲟⲥ ⲧⲏⲣϥ̄ ϫⲉ [ⲉⲛ]ⲁ̣ⲉⲓ ⲉ[ⲩ]

20 [ⲙ]ⲁ ϫⲉ ⲉⲛⲁϯ ⲥⲃⲱ ⲁⲩ[ⲱ] ⲛ̄ⲧⲛ̄ⲧⲁ
ϣⲉ ⲟⲉⲓϣ ϩⲣⲁ̈ⲓ ϩ̄ⲙ ⲡⲓⲟ̣ⲩϫⲁ̈ⲓ ⲉ
ⲧⲁⲩⲉⲣⲏⲧ̇ ⲙ̄ⲙⲟϥ ⲛⲁⲛ ⲉⲃⲟⲗ ϩⲓ

10   La lettre ° que Pierre
      envoya à Philippe.
      Pierre, l'apôtre ° de Jésus,
      le Christ, à Philippe notre frère
      bien-aimé et notre compagnon d'apostolat °,
15   et aux frères qui sont avec toi, salu[tations]!
      Je veux donc ° que tu apprennes, notre frère, [que]
      nous avons reçu des ordres ° de
      notre Seigneur et Sauveur ° de
      tout l'univers ° : que nous nous réunis-
20   sions, que nous enseignions et que nous
      proclamions le salut qui
      nous fut promis par

[ⲧ]ⲛ ⲡⲉⲛϫⲟⲉⲓⲥ ⲓ̄ⲥ̄ ⲡⲉⲭ[ⲥ̄·] ⲛ̣ⲧⲟⲕ ⲇⲉ

[ⲛ]ⲉϣⲁⲕⲡⲱⲣϫ̄ ⲉⲃⲟⲗ ⲙ̄ⲙⲟⲛ · ⲁⲩⲱ

ⲙ̄ⲡⲉⲕⲙⲉⲣⲉ ⲡⲓⲧⲣⲉⲛⲉⲓ ⲉⲩⲙⲁ

ⲁⲩⲱ ⲛ̄ⲧⲛⲉⲓⲙⲉ ϫⲉ ⲉⲛⲁⲧⲟⲟ̄ⲩ̄ⲛ ⲛ̄

5   ⲁϣ ⲛ̄ϩⲉ ϫⲉ ⲉⲛⲁϩⲓ ϣ̄ⲙⲛⲟⲩϥⲉ ·

ⲉϣϫⲉ ⲟⲩⲛ ⲁⲥⲣ̄ ⲁⲛⲁⲕ ⲡⲉⲛⲥⲟⲛ ϫⲉ

ⲉⲕⲉⲉⲓ ⲕⲁⲧⲁ ⲛⲉⲛⲧⲟⲗⲏ ⲛ̄ⲧⲉ ⲡⲉⲛ

ⲛⲟⲩⲧⲉ ⲓ̄ⲥ̄ · ⲛⲁⲓ̈ ⲛ̄ⲧⲉⲣⲉϥϫⲓⲧⲟⲩ

ⲛ̄ϭⲓ ⲫ[ⲓⲗⲓ]ⲡ̄ⲡⲟⲥ ⲁⲩⲱ ⲛ̄ⲧⲉⲣⲉϥⲟ

10   ϣⲟⲩ ⲁϥⲃⲱⲕ ⲉⲣⲁⲧϥ̄ ⲙ̄ⲡⲉⲧⲣⲟⲥ

ϩⲛ ⲟⲩⲣⲁϣⲉ ⲉϥⲧⲉⲗⲏⲗ ⲙ̄ⲙⲟϥ ·

ⲧⲟⲧⲉ ⲁⲡⲉⲧⲣⲟⲥ ⲁϥⲥⲱⲟⲩϩ

ⲙ̄ⲡⲕⲉⲥⲉⲉⲡⲉ ⲁⲩⲃⲱⲕ ⲉⲭ̄ⲙ

ⲡⲧⲟⲟⲩ ⲉⲧⲉϣⲁⲩⲙⲟⲩⲧⲉ ⲉⲣⲟϥ

15   ϫⲉ ⲡⲁⲛⲓϫⲟⲉⲓⲧ ⲡⲙⲁ ⲉⲧⲉϣⲁⲩ

ⲥⲱⲟⲩϩ ⲉⲙⲁⲩ ⲙ̄ⲛ ⲡⲙⲁⲕⲁⲣⲓⲟⲥ

ⲛ̄ⲭⲥ̄ ϩⲟⲧⲁⲛ ⲉϥϩⲛ ⲥⲱⲙⲁ · ⲧⲟ

ⲧⲉ ⲛ̄ⲧⲉⲣⲟⲩⲉⲓ ⲉⲩⲙⲁ ⲛ̄ϭⲓ ⲛⲁⲡⲟⲥ

ⲧⲟⲗⲟⲥ ⲁⲩⲱ ⲁⲩⲛⲟϫⲟⲩ ⲉϫⲛ

20   ⲛⲉⲩⲡⲁⲧ ⲁⲩϣⲗⲏⲗ ⲛ̄ϯϩⲉ ⲉⲩ

[ϫ]ⲱ ⲙ̄[ⲙⲟ]ⲥ ϫⲉ ⲡⲓⲱⲧ ⲡⲓⲱⲧ

ⲡⲓⲱⲧ ⲛ̄ⲧⲉ ⲡⲟⲩⲟⲉⲓⲛ ⲡⲁⲓ̈ ⲉ

ⲧⲉⲩⲛ̄ⲧⲁϥ ⲛ̄ⲛⲓⲁⲫⲑⲁⲣⲥⲓⲁ

ⲥⲱⲧ[ⲙ] ⲉⲣⲟⲛ ⲕⲁⲧⲁ ⲑⲉ ⲉⲧⲁ[.]

25   ⲙ̄ⲧⲱ[.]ⲩ ϩⲙ ⲡⲉⲕⲁⲗⲟⲩ ⲉⲧ

ⲟⲩⲁⲁⲃ [ⲓ̄]ⲥ̄ ⲡⲉⲭⲥ̄ · ⲛ̄ⲧⲟϥ ⲅⲁⲣ

ⲁϥϣⲱⲡⲉ ⲛⲁⲛ ⲛ̄ⲟⲩⲫⲱⲥⲧⲏⲣ

133

notre Seigneur Jésus, le Christ. Mais ° toi,
tu te trouvais séparé de nous et,
tu n'as pas exprimé le désir que nous nous réunissions
et apprenions de quelle façon
5   nous répartir pour apporter la bonne nouvelle.
Aussi °, te plairait-il, notre frère, de
marcher selon ° les ordres ° de notre
Dieu, Jésus? Quand Philippe
eut reçu et lu cette (lettre),
10   il vint aux pieds de Pierre,
exultant de joie.
Alors ° Pierre rassembla
les autres aussi. Ils montèrent sur
la montagne qui est appelée
15   celle des olives, le lieu où ils avaient l'habitude
de se rassembler avec le bienheureux °
Christ, quand ° il était dans le corps °. Alors ᵁ
lorsque les apôtres ° se furent assemblés
et mis à
20   genoux, ils prièrent ainsi,
disant : « Père, Père,
Père de la lumière qui
possèdes les (Éons) incorruptibles °,
écoute nous comme ° […]
25   [……] dans ton saint
fils, Jésus le Christ. Car ° il
devint pour nous un luminaire °

ⲣ̅[ⲗⲁ]

ϨⲘ ⲡⲕⲁⲕⲉ ⲁⲉⲓⲟ ⲥⲱⲧⲘ ⲉⲣⲟⲛ
ⲁⲩⲱ ⲁⲩⲕⲟⲧⲟⲩ Ⲛ̅ⲕⲉⲥⲟⲡ ⲁⲩ
ⲱⲗⲏⲗ ⲉⲩϫⲱ Ⲙ̅ⲙⲟⲥ ϫⲉ ⲡⲱⲏ
ⲣⲉ Ⲛ̅ⲧⲉ ⲡⲱⲛϨ ⲡϣⲏⲣⲉ Ⲛ̅ⲧⲉ ϯ
5 Ⲙ̅Ⲛ̅ⲧⲁⲧⲙⲟⲩ · ⲡⲁⲓ̈ ⲉⲧϣⲟⲟⲡ ϨⲘ
ⲡⲟⲩⲟⲉⲓⲛ · ⲡϣⲏⲣⲉ ⲡⲉⲭ̅ⲥ̅ Ⲛ̅ⲧⲉ
ϯⲘ̅Ⲛ̅ⲧⲁⲧⲙⲟⲩ · ⲡⲉⲛⲣⲉϥⲥⲱⲧⲉ
ⲙⲁϯ ⲛⲁⲛ Ⲛ̅ⲛⲟⲩϭⲁⲙ · ⲉⲡⲓⲇⲏ ⲥⲉ
ⲕⲱⲧⲉ Ⲛ̅ⲥⲱⲛ ⲉϨⲟⲧⲂ̅ⲛ [ⲧ]ⲟⲧⲉ ⲁϥ
10 ⲟⲩⲱⲛϨ ⲉⲃⲟⲗ Ⲛ̅ϭⲓ ⲟⲩⲛⲟϭ Ⲛ̅ⲟⲩⲟⲉⲓ[ⲛ]
Ϩⲱⲥⲧⲉ Ⲛ̅ⲧⲉⲡⲓⲧⲟⲟⲩ Ⲣ̅ ⲟⲩⲟⲉⲓⲛ
ⲉⲃⲟⲗ ϨⲘ ⲡⲓⲱⲣϨ Ⲛ̅ⲧⲉ ⲡⲏ ⲉⲧⲁϥⲟⲩ
ⲱⲛϨ ⲉⲃⲟⲗ · ⲁⲩⲱ ⲁⲩⲥⲙⲏ ⲁⲥⲱϣ
ⲉⲃⲟⲗ ϣⲁⲣⲟⲟⲩ ⲉⲥϫⲱ Ⲙ̅ⲙⲟⲥ ϫⲉ
15 ϫⲓ ⲥⲙⲏ ⲉⲛⲁϣⲁϫⲉ ϫⲉ ⲉ<ⲓ̈>ⲉ̅ⲓ ⲉϫⲱ
ⲛⲏⲧ̅Ⲛ̅ · ⲉⲧⲃⲉ ⲟⲩ ⲧⲉⲧ̅Ⲛ̅ϣⲓⲛⲉ Ⲙ̅
ⲙⲟⲉⲓ ⲁⲛⲟⲕ ⲡⲉ ⲓ̅ⲥ̅ ⲡⲉⲭ̅ⲥ̅ ⲉⲧϣ[ⲟ]
ⲟⲡ̀ Ⲙ̅Ⲛ̅ⲧⲩⲏⲧ̅Ⲛ̅ ϣⲁ ⲉⲛⲉϨ · ⲧⲟⲧ[ⲉ]
ⲁⲛⲁⲡⲟⲥⲧⲟⲗⲟⲥ ⲁⲩⲟⲩⲱϣ[ⲃ]
20 ⲁⲩⲱ ⲛⲁⲩϫⲱ Ⲙ̅ⲙⲟⲥ ϫⲉ ⲡϫⲟ
ⲉⲓⲥ Ⲧ̅ⲛⲟⲩⲱϣ ⲉⲉⲓⲙⲉ ⲉⲡϣⲱ
ⲱⲧ̀ Ⲛ̅ⲧⲉ ⲛⲉⲱⲛ Ⲙ̅Ⲛ̅ ⲡⲉⲕⲡⲗⲏ
ⲣⲱⲙⲁ · ⲁⲩⲱ ϫⲉ ⲡⲱ[ⲥ] ⲥⲉⲁⲙⲁ[Ϩ]
ⲧⲉ Ⲙ̅ⲙⲟⲛ ϨⲘ ⲡⲓⲙⲁ Ⲛ̅ϣⲱⲡⲉ ·
25 Ⲏ̅ ⲡⲱⲥ ⲁⲛⲉ̅ⲓ ⲉⲡⲓⲙⲁ Ⲏ̅ ⲉⲛⲁⲃⲱⲕ
Ⲛ̅ⲁϣ Ⲛ̅ⲣⲏⲧⲉ · Ⲏ̅ ⲡⲱⲥ ⲟⲩⲛ̅ⲧⲁⲛ

134

dans les ténèbres. Oui, écoute nous ».
Et ils se mirent de nouveau à
prier, en disant : « Fils
de la Vie, Fils de
5 l'immortalité, toi qui es dans
la lumière, Fils, Christ de
l'immortalité, notre Sauveur,
fortifie nous, puisqu' ° ils
nous pourchassent pour nous tuer ». Alors °
10 apparut une grande lumière
de sorte que ° la montagne resplendît
à la suite de cette
manifestation. Et une voix retentit
jusqu'à eux, disant :
15 « Ecoutez mes paroles car <je> viens pour vous
parler. Pourquoi me cherchez vous?
Je suis Jésus, le Christ, qui est
avec vous pour l'éternité ». Alors °
les apôtres ° répondirent
20 et ils disaient : « Seigneur,
nous voulons comprendre la Déficience
des Éons ° et ton Plérôme ° »,
et encore : « Comment ° sommes-nous
retenus en cette demeure?
25 (+ ῇ) Comment ° sommes-nous venus en ce lieu? (+ ῇ) De quelle
façon en sortirons-nous? (+ ῇ) Comment ° possédons-nous

[ρλє]

[ⲛ̄ϯⲉ͙ϩⲟ]ⲩⲥⲓⲁ ⲛ̄ⲧⲉ ϯⲡⲁⲣϩⲏⲥⲓⲁ ·

[ⲏ̄] ⲉ[ⲧ]ⲃⲉ ⲟⲩ ⲛⲓϭⲟⲙ ⲥⲉϯ ⲛ̄ⲙⲙⲁⲛ ·

ⲧⲟⲧⲉ ⲁⲩⲥⲙⲏ ϣⲱⲡⲉ ⲛⲁⲩ ⲉⲃⲟⲗ

ϩⲙ̄ ⲡ[ⲟ]ⲩⲟⲉⲓⲛ ⲉⲥϫⲱ ⲙ̄ⲙⲟⲥ ϫⲉ ⲛ̄

5 ⲧⲱⲧⲛ̄ ⲟⲩⲁⲧⲧⲏⲩⲧⲛ̄ ⲉⲧⲣ̄ ⲙ̄ⲛ

ⲧⲣⲉ ϫⲉ ⲁⲉⲓϫⲉ ⲛⲁⲓ̈ ⲧⲏⲣⲟⲩ ⲛⲏⲧⲛ̄

ⲁ[ⲗⲗ]ⲁ [ⲉ]ⲧⲃⲉ ⲧⲉⲧⲛ̄ⲙⲛ̄ⲧⲁⲧⲛⲁϩⲧⲉ

ϯ[ⲛ]ⲁϣⲁϫⲉ ⲛ̄ⲕⲉⲥⲟⲡ · ⲉⲧⲃⲉ

[ⲡⲓϣⲱⲱ]ⲧ ⲙⲉⲛ ⲛ̄ⲧⲉ ⲛⲉⲱⲛ ⲡⲁⲓ̈

10 [ⲡⲉ] ⲡ̣ⲓϣⲱⲱⲧ ⲉⲧ<ⲁ>ϯⲙ̄ⲛ̄ⲧⲁⲧ

ϭⲱⲧⲙ̄ ⲇⲉ ⲙ̄ⲛ ϯⲙ̄ⲛ̄ⲧⲁⲧϣⲟϫⲛⲉ

ⲛ̄ⲧⲉ ⲧⲙⲁⲁⲩ ⲉⲧⲁⲥⲟⲩⲱⲛ̄ϩ ⲉⲃⲟⲗ

ⲉϫⲙ̄ ⲡⲟⲩⲁϩ ⲥⲁϩⲛⲉ ⲛ̄ⲧⲉ ϯⲙ̄ⲛ̄ⲧ

ⲛⲟϭ ⲛ̄ⲧⲉ ⲡⲓⲱⲧ · ⲁⲥⲟⲩⲱϣ ⲉ

15 ⲧⲟⲩⲛⲟⲥ ⲛ̄ϩⲉⲛⲉⲱⲛ · ⲁⲩⲱ ⲉⲧⲁⲥ

ϣⲁϫⲉ ⲁϥⲟⲩⲱ<ⲛ̄>ϩ ⲉⲃⲟⲗ ⲛ̄ϭⲓ ⲡⲓⲁⲩ

ⲑⲁⲇⲏⲥ · ⲉⲧⲁⲥϣⲱϫⲡ̄ ⲇⲉ ⲛ̄ⲟⲩ

ⲙⲉⲣⲟⲥ ⲁϥⲁⲙⲁϩⲧⲉ ⲙ̄ⲙⲟϥ ⲛ̄ϭⲓ ⲡⲓ

ⲁⲩⲑⲁⲇⲏⲥ · ⲁⲩⲱ ⲁϥϣⲱⲡⲉ ⲛ̄

20 ⲟⲩϣⲱⲱⲧ ⲡⲁⲓ̈ ⲡⲉ ⲡϣⲱⲱⲧ

[ⲛ̄]ⲧⲉ ⲛⲓⲉⲱⲛ · ⲉⲧⲁⲡⲓⲁⲩⲑⲁⲇⲏⲥ

ϭⲉ ⲉⲧⲁϥϫⲓ ⲛ̄ⲟⲩⲙⲉⲣⲟⲥ ⲁϥϫⲟϥ

ⲁⲩⲱ ⲁϥⲕⲱ ⲛ̄ϩⲉⲛϭⲟⲙ ⲉϩⲣⲁⲓ̈

ⲉϫⲱϥ ⲙ̄ⲛ ϩⲉⲛⲉϩⲟⲩⲥⲓⲁ

25 ⲁⲩⲱ [ⲁ]ϥⲟⲗϥ ⲉϩⲟⲩⲛ ⲉⲛⲓⲉⲱⲛ

ⲉⲧⲙⲟ[ⲟ]ⲩⲧ · ⲁⲩⲱ ⲁⲩⲣⲁϣⲉ

ⲛ̄ϭⲓ ⲛⲓϭⲟⲙ ⲧⲏⲣⲟⲩ ⲛ̄ⲧⲉ ⲡⲕⲟⲥ

ⲙⲟⲥ ϫⲉ ⲁⲩϫⲡⲟⲟⲩ · ⲛ̄ⲧⲟⲟⲩ

135

[la liberté] ⁰ de parole ⁰ ?

(+ ἦ) Pourquoi les Puissances nous combattent-elles ? »

Alors ⁰ une voix leur vint de

la lumière, disant :

5 « C'est vous-mêmes qui témoignez

que je vous ai dit toutes ces choses.

Mais ⁰ à cause de votre incrédulité

je vais parler de nouveau. Premier point ⁰ :

De la Déficience des Éons ⁰. Voici

10 ce qu'est la Déficience. Quand donc ⁰

la <dés>obéissance et la déraison

de la Mère se manifesta

contre l'ordre établi par la

grandeur du Père, elle voulut

15 susciter des Éons ⁰ et, quand elle

parla, apparut l'Authadès ⁰.

Puis ⁰, lorsqu'elle laissa une

portion ⁰ (d'elle-même), l'Authadès ⁰

s'en saisit, et cela devint

20 une Déficience. Telle est la Déficience

des Éons ⁰. Et lorsque l'Authadès ⁰

reçut une portion ⁰, il la sema

et il établit des Puissances sur

elle et des Autorités ⁰,

25 et il l'emprisonna parmi les Éons ⁰

morts. Et elles se réjouirent,

toutes les Puissances du

monde ⁰, d'avoir été engendrées.

ⲣ[ⲗ︤ⲋ︦]

ⲇⲉ ⲛ̄ⲥⲉⲥⲟⲟⲩⲛ ⲁⲛ ⲙ̄ⲡⲓ[ⲱⲧ︥ ⲉⲧⲣ̄]
ϣ︤ⲣ︦ⲡ̄ ⲛ̄ϣⲟⲟⲡ · ⲉⲡⲓⲇⲏ ϩⲉⲛϣ︤ⲙ︦
ⲙⲟ ⲙ̄ⲙⲟϥ ⲛⲉ · ⲁⲗⲗⲁ ⲡⲁⲓ̈ ⲡ[ⲉ]ⲧⲉⲁ[ⲩ]
ϯ ϭⲟⲙ ⲛⲁϥ ⲁⲩⲱ ⲁⲩϣ︤ⲙ︦ϣⲉ ⲙ̄ⲙⲟϥ
5 ⲉⲁⲩⲥⲙⲟⲩ ⲉⲣⲟϥ · ⲛ̄ⲧⲟϥ ⲇⲉ ⲡⲓⲁⲩ
ⲑⲁⲗⲏⲥ ⲁϥϫⲓⲥⲉ ⲛ̄ϩⲏⲧ︥ ⲉϩⲣⲁⲓ̈ ⲉ︤ϫ︦ⲙ̄
ⲡⲓⲥⲙⲟⲩ ⲛ̄ⲧⲉ ⲛⲓϭⲟⲙ · ⲁϥ[ϣ]ⲱⲡ[ⲉ] ⲛ̄
ⲟⲩⲣⲉϥⲕⲱϩ · ⲁⲩⲱ ⲁϥⲟ[ⲩ]ⲱϣ [ⲉ]ⲧⲁ
ⲙⲓⲟ ⲛ̄ⲛⲟⲩϩ̄ⲓ̄ⲕⲱⲛ ⲉⲡⲙ[ⲁ ⲛ̄ⲛⲟⲩϩ̄ⲓ̄ⲕⲱⲛ]
10 ⲙ̄ⲛ ⲟⲩⲙⲟⲣⲫⲏ ⲉⲡⲙⲁ ⲛ̄ⲛⲟⲩⲙ[ⲟⲣ]
ⲫⲏ · ⲁϥⲧⲱϣ ⲇⲉ ⲛ̄ⲛⲓϭⲟⲙ ϩⲣⲁⲓ̈ ϩ︤ⲛ̄
ⲧⲉϥⲉ︤ϫ︦ⲟⲩⲥⲓⲁ ϫⲉ ⲉⲩⲉⲡⲗⲁⲥⲥⲁ ⲛ̄ϩⲉ[ⲛ]
ⲥⲱⲙⲁ ⲉⲩⲙⲟⲟⲩⲧ︥ · ⲁⲩⲱ ⲁⲩϣⲱ
ⲡⲉ ⲉⲃⲟⲗ ϩ︤ⲛ̄ ⲟⲩⲙ︤ⲛ︦ⲧ︥ⲁ︤ⲧ︦ⲉⲓⲛⲉ ⲉⲃⲟⲗ
15 ϩ︤ⲛ̄ ϯⲓⲇⲉⲁ ⲉⲧⲉⲁⲥϣⲱⲡⲉ :
ⲉⲧⲃⲉ ⲡⲓⲡⲗⲏⲣⲱⲙⲁ ⲇⲉ ⲁⲛⲟⲕ ⲡⲉ ⲁ̣[ⲩⲱ]
ⲁⲩⲧ︤ⲛ̄ⲛⲟⲟⲩⲧ︥ ⲉϩⲣⲁⲓ̈ ϩ̄︤ⲙ̄ ⲡⲥⲱⲙⲁ ⲉ̣
ⲧⲃⲉ ⲡⲓⲥⲡⲉⲣⲙⲁ ⲉⲧⲉⲁϥϩⲉ ⲉⲃⲟⲗ
ⲁⲩⲱ ⲁⲓ̄︤ⲉ̄ⲓ ⲉϩⲣⲁⲓ̈ ⲉⲡⲉⲩⲡⲗⲁⲥⲙⲁ ⲉⲧ
20 ⲙⲟⲟⲩⲧ︥ · ⲛ̄ⲧⲟⲟⲩ ⲇⲉ ⲙ̄ⲡⲟⲩⲥ[ⲟⲩ]
ⲱⲛ︤ⲧ︥ ⲛⲉⲩⲙⲉⲉⲩⲉ ⲉⲣⲟⲉⲓ ϫⲉ ⲁⲛ[ⲟⲕ]
ⲟⲩⲣⲱⲙⲉ ⲉϥⲙⲟⲟⲩⲧ︥ · ⲁⲩⲱ ⲁⲓ̈ϣ[ⲁ]
ϫⲉ ⲙ̄ⲛ ⲡⲉⲧⲉ ⲡⲱⲓ̈ ⲛ̄ⲧⲟϥ ⲇⲉ ⲁϥⲥⲱ
ⲧⲙ̄ ⲛⲁⲓ̈ ⲕⲁⲧⲁ ⲧⲉⲧⲛ̄ϩⲉ[ⲉ] ϩⲱⲧ︥
25 ⲧⲏⲩⲧⲛ̄ ⲛⲁⲓ̈ ⲉⲧⲁⲩⲥⲱ[ⲧ]ⲙ̄ ⲙ̄ⲡⲟⲟⲩ
ⲁⲩⲱ ⲁⲓ̈ϯ ⲛⲁϥ ⲛ̄ⲛⲟⲩⲉ︤ϫ︦ⲟⲩⲥⲓⲁ ϫⲉ ·
ⲉϥⲉⲉⲓ ⲉϩⲟⲩⲛ ⲉϯⲕⲗⲏⲣⲟⲛⲟⲙⲓⲁ
ⲛ̄ⲧⲉ ⲧⲉϥⲙ︤ⲛ̄ⲧ︥ⲉⲓⲱⲧ︥ · ⲁⲩⲱ ⲁⲓ̈ϥⲓ

136

    Cependant °, elles ne connaissent pas le Pè[re qui est]
    préexistant, — aussi bien °, elles
    lui sont étrangères —, mais ° celui qui a
    été doté de puissance et célébré
5   par des louanges. Or °, lui,
    l'Authadès ° s'enorgueillit de
    la louange des Puissances. Il devint
    un contrefacteur et il voulut
    modeler image ° [pour image °]
10 et forme ° pour f[or]me °.
    Et ° il chargea les Puissances sous
    son autorité ° de modeler ° des
    corps ° morts. Et ceux-ci
    tirèrent leur origine d'une contrefaçon
15 de l'idée ° préexistante.
    Autre point ° : Du Plérôme °. C'est moi. Et
    j'ai été envoyé dans le corps °
    pour la semence ° qui est tombée,
    et je suis descendu dans leur ouvrage ° de
20 mort. Mais ° [elles] ne me reconnurent
    pas; elles pensaient que [j']étais
    un homme mort. Et je
    parlai avec (la race) qui est mienne. Et ° elle
    m'écouta de ° la même manière que
25 vous m'avez écouté aujourd'hui.
    Et je lui donnai pouvoir °
    d'entrer dans l'héritage °
    de sa paternité. Et je la fis passer

[ⲧϥ ⲉⲃⲟⲗ ϩⲙ ⲡϣⲱⲧ ⲁ]ⲩⲙⲟⲩϩ ⲉⲃⲟⲗ
[ⲉⲓⲟⲩⲁϩϥ] ⲉⲛϩⲣⲁⲓ ϩⲙ ⲡⲉϥⲟⲩϫⲁⲓ · ⲉⲡⲓⲇⲏ
[ⲇⲉ] ϫⲉ ⲛ[ⲉ]ⲟⲩϣⲱⲧ ⲡⲉ ⲉⲧⲃⲉ ⲡⲁⲓ ⲁϥ
ϣⲱⲡⲉ [ⲛ̄]ⲟⲩⲡⲗⲏⲣⲱⲙⲁ · ⲉⲧⲃⲉ ⲡⲏ
5 [ⲁ]ⲉ ϫⲉ ⲥⲉⲁⲙⲁϩⲧⲉ ⲙ̄ⲙⲱⲧⲛ̄ ϫⲉ ⲛ̄ⲧⲱⲧⲛ̄
ⲛⲉⲧⲉ ⲛⲟⲩⲉⲓ · ⲉϣⲱⲡⲉ ⲉⲧⲉⲧⲛ̄ⲁⲕⲁⲕ
ⲧⲏⲛⲉ ⲕⲁϩⲏⲩ ⲙ̄ⲡⲁⲓ ⲉⲧⲧⲁⲕⲏⲟⲩⲧ · ⲧⲟ
ⲧⲉ ⲉⲧⲉⲧⲛ̄ⲁϣⲱⲡⲉ ⲛ̄ϩⲉⲛⲫⲱⲥⲧⲏⲣ
ϩⲛ̄ ⲧⲙⲏⲧⲉ ⲛ̄ϩⲉⲛⲣⲱⲙⲉ ⲉⲩⲙⲟⲟⲩⲧ
10 ⲡⲏ ⲁ[ⲉ] ϫⲉ [ⲛ̄]ⲧⲱⲧⲛ̄ ⲉⲧⲛⲁⲧ ⲙⲛ̄ ⲛⲓϭⲟⲙ
ϫⲉ ⲛ̄[ⲧ]ⲟⲟⲩ ⲙⲛ̄ⲧⲁⲩ ⲛ̄ⲟⲩⲙ̄ⲧⲟⲛ ⲕⲁ
[ⲧⲁ] ⲧⲉⲧⲛ̄ϩⲉ · ⲉⲡⲓⲇⲏ ⲛ̄ⲥⲉⲟⲩⲱϣ ⲁⲛ
[ϩⲓ]ⲛⲁ ⲛ̄ⲧⲉⲧⲛ̄ⲛⲟⲩϩⲙ̄ · ⲧⲟⲧⲉ ⲁⲛⲁⲡⲟⲥ
[ⲧ]ⲟⲗⲟⲥ ⲟⲩⲱϣⲧ ⲛ̄ⲕⲉⲥⲟⲡ ⲉⲩϫⲱ ⲙ̄
15 ⲙⲟⲥ ϫⲉ ⲡϫⲟⲉⲓⲥ ⲙⲁⲧⲁⲙⲟⲛ ϫⲉ ⲁϣ
[ⲧ]ⲉ ⲑⲉ ⲉⲧⲛ̄ⲛⲁⲧ ⲙⲛ̄ ⲛⲓⲁⲣⲭⲱⲛ · ⲉⲡⲓⲇⲏ
[ⲛⲓⲁ]ⲣⲭⲱⲛ ⲥⲉⲛ̄ⲧⲡⲉ ⲙ̄ⲙⲟⲛ · ⲧⲟⲧⲉ
[ⲁⲩⲥ]ⲙⲏ ⲁⲥⲱϣ ⲉⲃⲟⲗ ϣⲁⲣⲟⲟⲩ ⲉⲃⲟⲗ
[ϩ]ⲙ̄ ⲡⲏ ⲉⲧⲉ ⲛⲉϥⲟⲩⲟⲛϩ̄ ⲉⲃⲟⲗ ⲉⲥϫⲱ
20 [ⲙ̄]ⲙⲟⲥ ϫⲉ ⲛ̄ⲧⲱⲧⲛ̄ ⲇⲉ ⲉⲧⲉⲧⲛ̄ⲁⲧ
[ⲛ̄]ⲙⲙⲁⲩ ⲛ̄ⲧϩⲉ · ⲛⲓⲁⲣⲭⲱⲛ ⲅⲁⲣ ⲉⲩⲧ
ⲙⲛ̄ ⲡⲓⲣⲱⲙⲉ ⲉⲧⲥⲁϩⲟⲩⲛ · ⲛ̄ⲧⲱⲧⲛ̄
[ⲇⲉ] ⲉⲧⲉⲧⲛⲉⲧ ⲛ̄ⲙⲙⲁⲩ ⲛ̄ⲧϩⲉ · ⲁⲙⲏ
ⲉⲓⲧⲛ ⲉⲩⲙⲁ ⲁⲩⲱ ⲧ ⲥⲃⲱ ϩⲙ̄ ⲡⲕⲟⲥ
25 ⲙⲟⲥ ⲙ̄ⲡⲓⲟⲩϫⲁⲓ ϩⲛ̄ ⲟⲩⲉⲣⲏⲧ · ⲁⲩⲱ
ⲛ̄ⲧⲱⲧⲛ̄ ϩⲱⲕⲧⲏⲩⲧⲛ̄ ⲛ̄ϩⲣⲁⲓ ϩⲛ̄ ⲧϭⲟⲙ
ⲛ̄ⲧⲉ ⲡⲁⲉⲓⲱⲧ · ⲁⲩⲱ ⲟⲩⲱⲛϩ̄ ⲙ̄
ⲡⲉⲧⲛ̄ⲧⲱⲃϩ̄ ⲉⲃⲟⲗ · ⲁⲩⲱ ⲛ̄ⲧⲟϥ ⲡⲓ
ⲱⲧ ϥⲛⲁⲣ̄ⲃⲟⲏⲑⲉⲓ ⲉⲣⲱⲧⲛ̄ · ϩⲱⲥ ⲉⲁϥ
30 ⲣ̄ⲃⲟⲏⲑⲉⲓ ⲉⲣⲱⲧⲛ̄ ⲉⲁϥⲧⲁⲩⲟ ϩⲓ

137

[de Déficience à Plénitude],

[l'établissant] dans son salut. [Et °]

puisqu' ° elle était Déficience, elle devint

ainsi Plérôme °. Autre point ° :

5 Du fait que vous êtes emprisonnés. C'est que vous

êtes miens. Si vous vous dépouillez

de la corruption, alors °,

vous deviendrez des luminaires °

au milieu des hommes morts.

10 Autre point ° : Pourquoi devez-vous combattre les Puissances?

C'est qu'elles ne se reposent point com[me] °

vous, car ° elles ne désirent pas

que ° vous soyez sauvés ». Alors ° les apôtres °

se prosternèrent de nouveau, en disant :

15 « Seigneur, enseigne-nous comment

combattre les Archontes °, puisque °

[les A]rchontes ° sont au-dessus de nous ». Alors °

[une] voix retentit jusqu'à eux,

venue de ce qui leur apparaissait, disant :

20 « Quant à ° vous, voici comment

vous les combattrez, — car ° les Archontes °

combattent l'homme intérieur —, vous

[donc °], vous les combattrez ainsi : ras-

semblez-vous et enseignez dans le

25 monde ° la promesse du salut et

ceignez-vous de la puissance

de mon Père et exprimez

votre prière; et lui, le

Père, vous aidera ° comme °

30 il vous a aidés ° après avoir envoyé sur

[ρλη]

[ⲙ]ⲡⲣ[ⲣ̅ϭ]ⲁⲃ[ϩⲏⲧ ?]

ⲕⲁⲧⲁ ⲑⲉ ⲉⲧⲁⲓ̈ⲣ̅ϣⲣ̅ⲡ̅ ⲛ̅ϫⲟ[ⲟ]ⲥ [ⲛⲏ]

ⲧⲛ̅ ϩⲟⲧⲁⲛ ⲉⲉⲓϩ̅ⲙ̅ ⲡ[ⲥ]ⲱⲙⲁ · [ⲧ]ⲟⲧⲉ

ⲁⲥϣⲱⲡⲉ ⲛ̅ϭⲓ ⲟⲩⲉⲃⲣⲏϭⲉⲥ ⲙ̅ⲛ ⲟⲩ

5 ϩⲣⲟⲩⲙ̅ⲡⲉ ⲉⲃⲟⲗ ϩ̅ⲛ ⲧⲡⲉ · ⲁⲩⲱ ⲁⲩ

ⲧⲱⲣⲡ̅ ⲙ̅ⲡⲉⲧⲁϥⲟⲩⲱⲛϩ̅ ⲛⲁⲩ ⲉⲃⲟⲗ

ⲙ̅ⲡⲓⲙⲁ ⲉⲧⲙ̅ⲙⲁⲩ ⲉϩⲣⲁⲓ̈ ⲉⲧⲡⲉ · ⲧⲟⲧⲉ

ⲁⲛⲁⲡⲟⲥⲧⲟⲗⲟⲥ ⲁⲩϣ̅ⲡ̅ · ϩⲙⲟⲧ ⲛ̅ⲧⲙ̅

ⲡϫⲟⲉⲓⲥ ϩⲣⲁⲓ̈ ϩ̅ⲛ ⲥⲙⲟⲩ ⲛⲓⲙ ⲁ[ⲩ]ⲱ

10 ⲁⲩⲕⲟⲧⲟⲩ ⲉϩⲣⲁⲓ̈ ⲉⲑⲓⲏⲙ ⲉ[ⲩ]ⲛ̅

ⲛⲏⲩ ⲇⲉ ⲉϩⲣⲁⲓ̈ ⲛⲁⲩϣⲁϫⲉ ⲙ̅ⲛ̅ⲛⲉ[ⲩ]

ⲉⲣⲏⲩ ϩ̅ⲓⲧⲉ ϩ̅ⲓⲏ · ⲉⲧⲃⲉ ⲡⲓⲟⲩⲟⲉⲓⲛ ⲉ

ⲧⲉⲁϥϣⲱⲡⲉ · ⲁⲩⲱ ⲁϥϣⲱⲡⲉ ⲛ̅

ϭⲓ ⲟⲩϣⲁϫⲉ ⲉⲧⲃⲉ ⲡϫⲟⲉⲓⲥ ⲉⲩϫⲱ

15 ⲙ̅ⲙⲟⲥ ϫⲉ ⲉϣϫⲉ ⲛ̅ⲧⲟϥ ⲡⲉⲛϫ[ⲟ]ⲉ[ⲓⲥ]

ⲁϥϫⲓ ⲙ̅ⲕⲁϩ ϩ̅ⲓⲉ ⲁⲟⲩⲏⲣ ϭⲉ ⲁⲛⲟⲛ

ⲁϥⲟⲩⲱϣ̅ⲃ ⲛ̅ϭⲓ ⲡⲉⲧⲣⲟⲥ ⲉϥϫⲱ

ⲙ̅ⲙⲟⲥ ϫⲉ ⲁϥϫⲓ ⲙ̅ⲕⲁϩ ⲉⲧⲃⲏⲏⲧ̅[ⲛ]

ⲁⲩⲱ ϩⲁⲡ̅ⲥ̅ ⲉⲣⲟⲛ ϩⲱⲱⲛ ⲉⲧⲣⲉ[ⲛ]

20 ϫⲓ ⲙ̅ⲕⲁϩ ⲉⲧⲃⲉ ⲧⲉⲛⲙ̅ⲛ̅ⲧ̅ⲕⲟⲩ[ⲉⲓ]

ⲧⲟⲧⲉ ⲁⲩⲥⲙⲏ ϣⲱⲡⲉ ϣⲁⲣⲟⲟⲩ

ⲉⲥϫⲱ ⲙ̅ⲙⲟⲥ ϫⲉ ⲁⲓ̈ϫⲟⲥ ⲛⲏⲧⲛ̅

ⲛ̅ϩⲁϩ ⲛ̅ⲥⲟⲡ ϫⲉ ϩⲁⲡ̅ⲥ̅ ⲉⲣⲱⲧⲛ̅

ⲉⲧⲣⲉⲧⲉⲧⲛ̅ϫⲓ ⲙ̅ⲕⲁϩ · ϩⲁ

25 ⲡ̅ⲥ̅ ⲉⲧⲣⲉⲩⲛ̅ⲧⲏⲩⲧⲛ̅ ⲉϩⲉⲛⲥⲩ

ⲛⲁⲅⲱⲅⲏ ⲙ̅ⲛ ϩⲉⲛϩⲏⲅⲉⲙⲱⲛ

ϩⲱⲥⲧⲉ ⲛ̅ⲧⲉⲧⲛ̅ϫⲓ ⲙ̅ⲕⲁϩ · ⲡⲏ ⲇⲉ

ⲉⲧⲉ ⲛ̅ϥⲛⲁϫⲓ ⲙ̅ⲕⲁϩ ⲁⲛ ⲟⲩⲇⲉ

138

[... Ne craignez pas . . ? . .]
ainsi que ° je vous l'ai d'abord [dit]
lorsque ° j'étais dans le corps ° ». Alors °
vint du ciel un éclair et un
5   coup de tonnerre, et
ce qui leur était apparu en ce lieu-là
fut ravi au ciel. Alors °
les apôtres ° rendirent grâce au
Seigneur par toutes sortes de louanges, et
10   ils montèrent à Jérusalem.
Et °, en remontant, ils échangeaient des propos
en cours de route sur la lumière
qui était survenue. Et l'on se mit
à parler du Seigneur. On disait :
15   « Si lui, notre Sei[gneur],
a souffert, à plus forte raison, nous! »
Pierre répondit en disant :
« Il a souffert à cause de [nous]
et il nous faut aussi
20   souffrir à cause de notre petitesse ».
Alors ° une voix parvint jusqu'à eux,
disant : « Je vous ai dit
bien des fois qu'il vous faut
souffrir, qu'il faut
25   que l'on vous mène dans des synagogues °
et (devant) des gouverneurs °
afin que ° vous souffriez. Mais ° celui
qui ne souffrira pas, non plus °

[ⲣⲗⲑ]

[   ]. [   ]

[   ]ⲡ[ⲉⲛ]ⲓⲱⲧ

[   ]ⲙ ϫⲉⲕⲁⲁⲥ ⲉϥ

[. .] ⲉⲣϩ[ⲁ]ⲛⲁⲡⲟⲥⲧⲟⲗⲟⲥ ⲇⲉ

5 [ⲁⲩ]ⲣⲁϣ[ⲉ] ⲉ[ⲙⲁ]ⲧⲉ ⲁⲩⲱ ⲁⲩⲉⲓ ⲉϩⲣⲁⲓ

[ⲉⲑⲓ]ⲏⲙ ⲁⲩⲱ ⲁⲩⲉⲓ ⲉϩⲣⲁⲓ ⲉⲡⲣⲡⲉ ⲁⲩϯ

[ⲥⲃ]ⲱ ϩⲛ ⲟⲩⲟⲩϫⲁⲓ ϩⲣⲁⲓ ϩⲙ ⲡⲣⲁⲛ ⲛⲧⲉ

[ⲡϫ]ⲟⲉⲓⲥ ⲓⲥ ⲡⲉⲭⲥ · ⲁⲩⲱ ⲁⲩⲣ ⲡⲁϩⲣⲉ

[ⲛⲟⲩ]ⲙⲏⲏϣⲉ · ⲁϥⲟⲩⲱⲛ ⲇⲉ ⲉⲣⲱϥ ⲛϭⲓ

10 [ⲡⲉⲧ]ⲣⲟⲥ ⲡ[ⲉ]ϫⲁϥ ⲛⲛⲉϥⲙⲁⲑⲏⲧⲏⲥ ϫⲉ

[. .]ⲉ ⲡⲉⲛϫⲟⲉⲓⲥ ⲓⲥ ϩⲟⲧⲁⲛ ⲉϥϩⲛ ⲥⲱⲙⲁ

[ⲁϥ]ϯ ⲙⲁⲉⲓⲛ ⲛⲁⲛ ⲉϩⲱⲃ ⲛⲓⲙ ⲛⲧⲟϥ ⲅⲁⲣ

[ⲁϥ]ⲉⲓ ⲉϩⲣⲁⲓ · ⲛⲁⲥⲛⲏⲩ ϫⲓ ⲥⲙⲏ ⲉⲧⲁⲥⲙⲏ

[ⲁⲩ]ⲱ ⲁϥⲙⲟⲩϩ ⲉⲃⲟⲗ ϩⲛ ⲟⲩⲡⲛⲁ ⲉϥⲟⲩⲁⲁⲃ

15 [ⲡⲉ]ϫⲁϥ ⲛϯϩⲉ ϫⲉ ⲡⲉⲛⲫⲱⲥⲧⲏⲣ ⲓⲥ

[ⲁϥⲉⲓ] ⲉϩⲣⲁⲓ ⲁⲩⲱ ⲁⲩⲁϣⲧϥ · ⲁⲩⲱ ⲁϥⲣⲫⲟ

[ⲣⲉⲓ ⲛⲟ]ⲩⲕⲗⲟⲙ ⲛϣⲟ<ⲛ>ⲧⲉ · ⲁⲩⲱ ⲁϥϯ ϩⲓ

[ⲱⲱϥ] ⲛⲛⲟⲩⲥⲧⲟⲗⲏ ⲛϫⲏⲃⲉ ⲁⲩⲱ ⲁⲩ

[ⲟϥⲧ]ϥ ⲉϫⲛ ⲟⲩϣⲉ ⲁⲩⲱ ⲁⲩⲧⲟⲙⲥϥ ϩⲛ

20 ⲟ[ⲩ]ⲙϩⲁⲟⲩ ⲁⲩⲱ ⲁϥⲧⲱⲛϥ ⲉⲃⲟⲗ ϩⲛ ⲛⲉⲧ

ⲙ[ⲟⲟ]ⲩⲧ : ⲛⲁⲥⲛⲏⲩ ⲟⲩϣⲙⲙⲟ ⲙ

ⲡⲉⲓϫⲓ ⲙⲕⲁϩ ⲡⲉ ⲓⲥ · ⲁⲗⲗⲁ ⲁⲛⲟⲛ ⲡⲉⲧⲉ

ⲁ[ⲛ]ϫⲓ ⲙⲕⲁϩ ϩⲛ ⲧⲡⲁⲣⲁⲃⲁⲥⲓⲥ ⲛⲧⲙⲁⲁⲩ

ⲁⲩⲱ ⲉⲧⲃⲉ ⲡⲁⲓ ⲁϥⲉⲓⲣⲉ ⲛϩⲱⲃ ⲛⲓⲙ

25 ⲕⲁⲧⲁ ⲟⲩⲉⲓⲛⲉ ϩⲣⲁⲓ ⲛϩⲏⲧⲛ · ⲡϫⲟⲉⲓⲥ

ⲅⲁⲣ ⲓⲥ ⲡϣⲏⲣⲉ ⲛⲧⲉ ⲡⲉⲟⲟⲩ ⲙⲡⲓⲱⲧ

ⲛⲁⲧϯ ϣⲓ ⲉⲣⲟϥ ⲡⲁⲓ ⲡⲉ ⲡⲓⲁⲣⲭⲏⲅⲟⲥ

ⲛⲧⲉ ⲡⲉⲛⲱⲛϩ · ⲛⲁⲥⲛⲏⲩ ⲙⲡⲣ

ⲧⲣⲉⲛⲥⲱⲧⲙ ⲟⲩⲛ ⲛⲥⲁ ⲛⲉⲓⲁⲛⲟ

30 ⲙⲟⲥ ⲁⲩⲱ ⲛⲧⲛⲙⲟⲟϣⲉ ϩⲣⲁⲓ ϩⲛ

139

[   ]. [   ]
[notre] Père
[   ] pour qu'il
[   ]. Mais º les apôtres º
5   se réjouirent beaucoup et ils montèrent
à [Jérusa]lem et ils montèrent au Temple. Ils
enseignèrent à être sauvé au nom du
Seigneur Jésus, le Christ; et ils guérirent
une multitude. Et º Pierre ouvrit
10   la bouche, il dit à ses disciples º :
« [Assurément], notre Seigneur Jésus, quand º il était dans le corps º,
nous a donné des signes de toute chose, car º c'est lui
qui est descendu. Mes frères écoutez ma voix ».
Et il fut rempli d'un Esprit º Saint.
15   Il parla ainsi : « Notre luminaire º, Jésus
est descendu et il a été crucifié et il a por[té] º
une couronne d'épines, et il a re[vêtu]
un vêtement º de pourpre, et il a été
[cloué] sur du bois, et il a été inhumé dans
20   une tombe, et il s'est ressuscité des
morts. Mon frère, Jésus est étranger
à cette souffrance, mais º c'est nous qui
avons souffert par la transgression º de la Mère.
Et ainsi, toute chose, il l'a accomplie
25   en º apparence, par notre intermédiaire.
Car º le Seigneur Jésus, le fils de la gloire incommensurable
du Père, est à l'origine º
de notre vie. Mes frères,
n'écoutons donc º pas ces hors-la-loi º
30   et marchons dans

[ⲣⲙ]

[ⲁⲡⲉ]

ⲧⲣⲟⲥ ⲁϥ[ⲥ]ⲱⲟ[ⲩϩ   ]

[.]ⲡⲉ ⲉϥϫⲱ ⲙ̄[ⲙⲟⲥ ϫⲉ ⲡⲉⲛϫⲟⲉ]ⲓ̣ⲥ ⲓ̣[ⲥ̄]

ⲡⲉⲭ̄ⲥ̄ ⲡⲁⲣⲭⲏⲅⲟⲥ ⲛ̣̄[ⲧⲉ ⲡⲉ]ⲛ̄ⲙ̄ⲧⲟ[ⲛ

5 ⲙⲁϯ ⲛⲁⲛ ⲛ̄ⲟⲩⲡ̄ⲛ̄ⲁ̄ ⲛ̄ⲧⲉ ⲟⲩⲉⲡⲓ[ⲥ]

ⲧⲏⲙⲏ ϩ̄ⲓⲛⲁ ⲁⲛⲟⲛ ϩⲱⲱⲛ ϫⲉ ⲉⲛⲉ̣

ⲉⲓⲣⲉ ⲛ̄ϩⲉⲛϭⲟⲙ · ⲧⲟⲧⲉ ⲁⲡⲉⲧ̣[ⲣⲟⲥ]

ⲙ̄ⲛ ⲛⲓⲕⲉⲁⲡⲟⲥⲧⲟⲗⲟⲥ ⲁⲩⲛⲁⲩ ⲉ[ⲣⲟϥ]

ⲁⲩⲱ ⲁⲩⲙⲟⲩϩ ⲉⲃⲟⲗ [ϩ̄ⲛ] ⲟⲩⲡ̄ⲛ̄[ⲁ̄]

10 ⲉϥⲟⲩⲁⲁⲃ · ⲁⲩⲱ ⲁⲡⲟⲩⲁ ⲡⲟⲩ[ⲁ]

ⲉⲓⲣⲉ ⲛ̄ϩⲉⲛⲧⲁⲗϭⲟ · ⲁⲩⲱ ⲁⲩⲡⲱⲣ̄ϫ̄

ⲉⲃⲟⲗ ϫⲉ ⲉⲩⲉⲧⲁϣⲉ ⲟⲉⲓϣ ⲙ̄ⲡⲭⲟ

ⲉⲓⲥ ⲓ̄ⲥ̄ ⲁⲩⲱ ⲁⲩⲥⲱⲟⲩϩ ϣⲁ ⲛⲉ[ⲩ]

ⲉⲣⲏⲩ ⲁⲩⲣ̄ⲁⲥⲡⲁⲍⲉ ⲙ̄ⲙⲟⲟⲩ [ⲉⲩ]

15 ϫⲱ ⲙ̄ⲙⲟⲥ ϫⲉ ϩⲁⲙⲏⲛ : ⲧⲟ[ⲧⲉ]

ⲁϥⲟⲩⲱⲛ̄ϩ̄ ⲉⲃⲟⲗ ⲛ̄ϭⲓ ⲓ̄ⲥ̄ ⲉϥϫⲱ [ⲙ̄]

ⲙⲟⲥ ⲛⲁⲩ ϫⲉ ϯⲣⲏⲛⲏ ⲛⲏⲧⲛ̄ [ⲧⲏⲣ]

ⲧ̄ⲛ̄ ⲙ̄ⲛ̄ ⲟⲩⲟⲛ ⲛⲓⲙ ⲉⲧⲛⲁϩⲧⲉ ⲉ̣

ⲡⲁⲣⲁⲛ · ⲉⲧⲉⲧ̄ⲛ̄ⲁⲃⲱⲕ ⲇⲉ ⲉϥⲉ

20 ϣⲱⲡⲉ ⲛⲏⲧⲛ̄ ⲛ̄ϭⲓ ⲟⲩⲣⲁϣⲉ ⲙ̄ⲛ̄

ⲟⲩϩⲙⲟⲧ̄ ⲙ̄ⲛ̄ ⲟⲩϭⲁⲙ · ⲙ̄ⲡⲣ̄ ⲣ̄

ϭⲁⲃϩⲏⲧ̄ ⲇⲉ ⲉⲓⲥ ϩⲏⲧⲉ ϯⲛⲉⲙⲏⲧⲛ̄

ϣⲁ ⲉⲛⲉϩ · ⲧⲟⲧⲉ ⲁⲛ<ⲁ>ⲡ[ⲟ]ⲥⲧⲟ

ⲗⲟⲥ ⲁⲩⲡⲱⲣ̄ϫ̄ ⲙ̄ⲙⲟⲟⲩ ⲉⲃⲟⲗ

25 ⲉϩⲣⲁⲓ̈ ⲉⲡⲓϥⲧⲟⲟⲩ ⲛ̄ϣⲁϫⲉ · ϫⲉ ⲉⲩ

ⲉⲧⲁϣⲉ ⲟⲉⲓϣ ⲁⲩⲱ ⲁⲩⲃⲱⲕ

ϩ̄ⲛ ⲟⲩϭⲟⲙ ⲛ̄ⲧⲉ ⲓ̄ⲥ̄ ϩ̄ⲛ ⲟⲩⲉⲓⲣⲏⲛ[ⲏ] : >——

140

[Pie]rre
ras[sembla   ]
[   ] disant : [« Notre Seigneur Jésus],
le Christ, toi qui es à l'origine ° [de notre repos],
5   donne nous un esprit ° d'intelligence °
afin que ° nous aussi nous
accomplissions des miracles ». Alors ° Pierre
et les autres apôtres ° [le] virent
et furent remplis d'un Esprit °
10 Saint, et chacun
opéra des guérisons. Et ils se divisèrent
pour annoncer le Seigneur
Jésus, et ils rejoignirent leurs
compagnons : ils s'embrassèrent ° en
15 disant : « Amen » °. Alors °
Jésus leur apparut en leur disant :
« Que la paix ° soit avec vous tous
et avec quiconque croit en
mon nom. Et ° quand vous partirez,
20 qu'il y ait en vous joie,
grâce et puissance. Et ° ne
craignez pas; et voici que je suis avec vous
pour l'éternité ». Alors °, les apôtres °
furent répartis
25 en vue des quatre messages, pour
prêcher, et ils s'en allèrent
dans (la) puissance de Jésus, en paix °.

NOTES DE TRANSCRIPTION ET DE TRADUCTION

p. 132

En haut du feuillet à gauche nous avons le nº de la page. On voit la hampe du ⲣ prolongée assez bas, un point du tracé inférieur droit du ⲃ. C'est pourquoi nous pointons les deux.

Le haut de la page est occupé par les dernières lignes de *Zostrien*. Puis viennent deux lignes d'ornements suivies du début de *la Lettre de Pierre à Philippe*, disposé en retrait.

l. 14 : il est à remarquer que les ⲧ et les ⲡ de la fin des morphèmes sont ailés (ⲧ, ⲡ) comme ceux du Codex VI, par exemple.

l. 15 : ⲭⲉ. La lettre ⲭ est sûre. Il ne peut s'agir d'un ⳉ. Le tracé inférieur du ⲉ est très pâli, et le reste du papyrus est arraché. Il s'agit vraisemblablement de ⲭⲉ[ⲓⲣⲉ] = ⲭⲁⲓⲣⲉ, terme courant des salutations, le ⲉ ayant remplacé le ⲁ par itacisme.

l. 16 : dans ⲡⲉⲛⲥⲟⲛ on voit encore le haut de la courbe du ⲉ.

l. 17 : du premier ⲛ de ⲛ[ⲧ]ⲟⲟⲧϥ il ne reste que le montant vertical gauche, et du ϥ on voit le bas du montant, à moins que ce ne soit qu'une fibre du papyrus.

l. 18 : du ⲏ de ⲡⲥⲱ[ⲧ]ⲏⲣ il reste le montant vertical droit.

l. 19 : [ⲉⲛ]ⲁⲉⲓ : on ne voit que le tracé extérieur du ⲁ. ⲉⲓ ⲉⲩⲙⲁ signifie « se rassembler ».

l. 20 : le point initial du ⲩ de ⲁⲩ[ⲱ] est très visible. En bas à gauche de ⲛⲧⲛⲧⲁ on voit des taches d'encre. Le reste de la ligne est déchiré.

l. 21 : dans ⲡⲓⲟⲩⲭⲁⲓ on a une trace du ⲟ en haut à gauche et une trace de la base du ⲩ. Le reste est déchiré.

p. 133

Du chiffre [ⲣⲁ]ⲅ il ne reste que la base du ⲅ et l'extrémité du trait supérieur.

l. 1 : on voit le coin inférieur droit du ⲛ dans ⲛⲧⲟⲕ.

l. 3 : ⲡⲓⲧⲣⲉⲛⲉⲓ est un infinitif substantivé, cf. Till, *Kopt. Gram.*, § 348.

l. 4 : ⲧⲱϣ comporte une idée de limite, de distribution, cf. Crum, 449b.

l. 7 : il y a un point en bas à gauche sous le ⲕ de ⲕⲁⲧⲁ.

l. 8 : du є de ⲚⲞⲨⲦє le tracé supérieur de la courbe à gauche est visible.

l. 10 : de ϣⲟⲨ ⲁϥⲃⲱⲕ il reste du ⲩ une pointe en haut à gauche et une en bas. On peut ne pas le pointer. Il n'est pas nécessaire non plus de pointer le ⲁ dont l'extrémité écrasée de la boucle en bas à gauche est visible. Et le montant vertical du ϥ descend assez bas.

l. 11 : il reste les 3/4 de la courbe du ⲝ dans ⲝⲚ.

l. 15 : malgré des apparences contraires (coloration du papyrus) on lit ⲡⲁⲚⲓⲭⲟⲉⲓⲧ avec le ⲧ final.

l. 17 : il y a un trou au-dessus du Ⲛ de Ⲛⲭⲥ, mais il faut lire Ⲛⲭⲥ.

l. 21 : il ne faut pas pointer le ⲱ de [ⲭ]ⲱ, car son lobe droit subsiste.

l. 22 : de ⲡⲓⲱⲧ ⲚⲦⲉ, il reste de ⲡ le milieu du montant vertical droit, du premier ⲧ on voit l'extrémité de la barre horizontale et du Ⲛ il reste un point en bas du montant vertical droit.

l. 23 : dans ⲦⲉⲩⲚⲦⲁϥ il ne faut rien pointer : presque tout est visible à la lumière ultra-violette. Du Ⲛ on a un morceau du montant vertical gauche et un point en haut à droite; du ⲧ il reste des traces de la barre horizontale et de la hampe, du ⲁ il y a le tracé extérieur droit.

l. 25 : on aperçoit le lobe gauche du ⲱ de ⲘⲦⲱ[.]ⲩ.

l. 26 : il reste la partie gauche du ⲃ de ⲞⲨⲀⲀⲃ.

p. 134

Du chiffre en haut à gauche, ⲣ[ⲗⲁ], il n'y a que le bas du ⲣ qui soit visible il n'y a pas trace du trait.

l. 1 : ⲝⲘ ⲡⲕⲁⲕⲉ. À la lumière ultra-violette on voit un point qui représente la jonction du ⲁ et du ⲕ et la barre horizontale du є rejoignant le ⲁ suivant : on a єⲁⲉⲓⲟ. À la fin de la l. on a єⲣⲟⲚ : le ⲣ est entamé, mais identifiable (⸙), du ⲟ et du Ⲛ il ne subsiste que de simples traces d'encre à la partie supérieure.

l. 6 : nous transcrivons ⲡⲉⲭⲥ parce que, le bas de la lettre ⲭ manquant, on pourrait avoir ⲡⲉⲭⲥ « le Seigneur ».

l. 7 : de ⲡⲉⲚⲣⲉϥⲥⲱⲦⲉ, une trace à gauche du є est visible à la lumière ultra-violette. Le ϥ n'est pas à pointer : l'encre est pâlie, mais on distingue nettement les 3/4 du tracé.

l. 8 : le point en haut à droite de ⲙ· est très visible. Dans єⲡⲓⲁⲏ ⲥⲉ il reste du ⲡ le montant vertical droit, le ⲁ est entièrement visible à la lumière ultra-violette comme toutes les autres lettres jusqu'à la fin de la ligne.

l. 9 : dans [ⲧ]ⲟⲧⲉ ⲁϥ il reste du ⲟ un point en bas à gauche; le ϥ est bien visible à la lumière ultra-violette, il ne manque que la partie inférieure de la queue.

l. 15-16 : nous lisons ⲉⲉ̄ⲓ ⲉⲭⲱ, mais ⲱ n'est pas sûr. Il faut vraisemblement lire : ⲉ<ⲓ̄>ⲉ̄ⲓ ⲉⲭⲱ.

l. 20 : on a dans ⲭⲡⲟ la trace inférieure gauche du ⲟ.

l. 21 : il faut faire la même remarque à propos de ⲉⲡϣⲱ.

l. 22 : pour ⲡⲉⲕⲡⲗⲏ on a sur le papyrus un ⲩ qui a été corrigé en ⲕ ou inversement.

l. 23 : il ne faut pas pointer le ⲣ dans ⲣⲱⲙⲁ, mais le ⲱ dont on n'aperçoit qu'un bout de trait en haut à droite. Dans ⲡⲱ[ⲥ], il faut pointer ⲱ, parce qu'il manque la partie droite et que la confusion est possible avec ⲱ.

l. 24 : dans ⲛϣⲱⲡⲉ la marque initiale de ϣ en haut à gauche est très visible.

p. 135

Il n'y a rien de visible du chiffre [ⲣⲗⲉ] à droite.

l. 1 : la l. se présente ainsi : [± 5 lettres] ⲩⲥⲓⲁ ⲛ̄ⲧⲉ ⲧ̄ⲡⲁⲣⲣ̅ⲏⲥⲓⲁ· ; le deuxième ⲁ est à pointer, car il ne reste que le trait de liaison avec le ⲣ.

l. 4 : il ne faut pas pointer le ⲡ de ⲡ[ⲟ]ⲩⲟⲉⲓⲛ; il est presque entièrement visible.

l. 5 : ⲧⲱⲧ̄ⲛ̄ est sûr : il reste le bas de la barre verticale du ⲧ et le coin droit inférieur du ⲛ.

l. 7 : on aperçoit l'extrémité droite de la barre horizontale du ⲧ de [ⲉ]ⲧⲃⲉ.

l. 8 : il reste du ϣ de ⲧ̄[ⲛ]ⲁϣⲁⲝⲉ la moitié gauche. On pourrait le confondre avec ⲱ.

l. 9 : il faut lire [ⲡⲓϣⲱⲱ]ⲧ̄, car il y a place pour cinq lettres.

l. 10 : dans [ⲡⲉ] ⲡ̣ⲓ̣ on aperçoit le jambage du ⲡ et l'extrémité du ⲓ.

l. 10-11 : on lit très clairement ⲉⲧⲉⲧⲙ̄ⲛ̄ⲧ̄ⲁⲧ̄ⲥ̣ⲱⲧⲙ̄. Le papyrus a ⲉⲧⲉ, mais il faut lire ⲉⲧ<ⲁ>, parfait II (cf. TILL, *Koptische Dialekt-grammatik*, § 264) qui en BF a souvent le sens d'une temporelle. Ce parfait revient à plusieurs endroits dans la Lettre, cf. p. 135,17.21-22.

l. 16 : il ne faut rien pointer dans ϣⲁⲝⲉ. Une partie de la queue du ϣ subsiste : il n'y a pas de confusion possible avec ⲱ.

l. 17 : dans ⲑⲁⲗⲏⲥ la base du ⲑ subsiste en partie. Il ne faut pas pointer le ⲁ.

l. 19 : d'ⲁⲩⲑⲁⲇⲏⲥ on aperçoit la courbe inférieure et la barre extérieure du ⲇ. La confusion est impossible.

l. 21 : de ⲛⲓⲉⲱⲛ on aperçoit la courbe du ⲉ en haut à gauche.

l. 22 : de ϭⲉ on aperçoit l'extrémité du ϭ en haut à droite; l'angle descendant indique l'amorce de la courbe.

l. 24 : on aperçoit du ϥ de ⲉⲝⲱϥ la partie supérieure. Il n'y a pas de trace de la queue.

l. 25 : il faut pointer le premier ϥ de [ⲁ]ϥⲟⲗϥ̄ : on aperçoit la queue du ϥ. Du ⲱ de ⲉⲛⲓⲉⲱⲛ on a la trace inférieure du lobe gauche.

l. 26 : dans ⲉⲧⲙⲟ[ⲟ]ⲩⲧ· la courbe du ⲟ apparaît à gauche en bas. La lettre est presque entière, mais elle est difficile à distinguer d'un ⲥ.

p. 136

Il reste dans le chiffre de la pagination ⲣ[ⲗ̄ⲋ] le bas du ⲣ; il n'y a aucune trace de trait.

l. 1 : il faut lire ⲛ̄ⲥⲉϭⲟⲟⲩⲛ ⲁⲛ ⲙ̄ⲡⲓ[ⲱⲧ ⲉⲧⲡ̄]. Successivement, du ⲉ il reste la courbure en haut à gauche, du ϭ les 3/4 de la courbure, mais, comme la suite est arrachée, on pourrait le confondre avec un ⲟ; du ⲟ il reste une trace en haut à droite. Après le ⲡ, il y a une trace d'encre légère mais si rectiligne qu'un ⲉ semble impossible. Il y a place dans la lacune pour cinq lettres : la ligne entière peut comporter ± 19 lettres, comme la ligne suivante.

l. 2 : du ⲛ et du ⲙ de ϩⲉⲛϣⲙ il reste un point en bas à gauche du ⲛ, un point en bas à gauche du ⲙ. Le trait supérieur n'est pas visible. Il ne faut pas pointer le ϣ, car il reste une partie de la queue. Donc, aucune confusion possible avec ϣ.

l. 4 : dans ⲁⲩϣⲙϣⲉ ⲙ̄ⲙⲟϥ il faut pointer le ϣ, parce qu'on peut le confondre matériellement avec ⲱ, vu que la queue manque; du ϥ il reste seulement une pointe en haut à gauche, cela pourrait être le coin de lettres comme, par exemple, ⲛ, ⲙ, ⲩ, etc.

l. 5 : il ne faut pas pointer le ⲉ dans ⲇⲉ.

l. 6 : il subsiste des traces de la courbe du ⲉ de ⲉ̄ⲝⲙ̄ (en haut à droite, en bas au milieu). On peut le confondre avec un ⲥ.

l. 7 : nous pointons le ϥ dans ⲁϥ[ϣ]ⲱⲡ[ⲉ] ⲛ̄. Il en reste une partie en haut à gauche et le bas de la hampe. À la rigueur on pourrait le confondre avec un ⲫ. Du ⲱ il subsiste un reste de la boucle de droite et de gauche. Du ⲡ on aperçoit une partie en bas à gauche.

l. 8 : ⲁϥⲟ[ⲩ]ⲱϣ [ⲉ]ⲧⲁ. Après le ⲟ il y a un trou. À une certaine distance on observe trois points d'encre au-dessus de la ligne. Il semble que ces points ne peuvent appartenir qu'à la 2e et à la 3e lettre après le ο. Du ⲁ il reste quelque chose en haut à gauche lié au ⲧ, plus l'amorce de la courbe. On pourrait le confondre avec un ⲗ.

l. 9 : notre conjecture est admissible, puisque la ligne peut avoir 25 lettres, cf. l. 12.

l. 10 : N̄ⲚⲞⲨⲘ[Ⲟⲣ]. Le second Ⲛ n'est pas à pointer : il en reste le montant à gauche et la pointe inférieure droite. Il n'y a pas de confusion possible. Du Ⲙ il reste un point inférieur gauche. Il n'y a rien du ⲣ. Ce que l'on voit en-dessous est le ⲓ̄ de la ligne suivante et l'amorce d'un trait de vocalisation.

l. 11 : dans ⲌⲚ̄ on aperçoit le montant vertical gauche du Ⲛ.

l. 12 : on voit la courbure inférieure gauche du ⲉ̣ de Ⲍⲉ̣. Le traité emploie souvent le Futur III.

l. 13 : on aperçoit la courbe gauche au ⲱ de ⲁⲨⲱⲱ.

l. 16 : on voit deux points à la base gauche et droite du ⲁ de ⲁ[Ⲩⲱ].

l. 17 : le ⲉ̣ de la fin est à pointer. On observe un point en haut à gauche.

l. 19 : à la fin de la ligne on voit nettement l'amorce de la barre horizontale du ⲧ liée à celle du ⲉ.

l. 20 : on aperçoit la courbe du ⲥ̣ de ⲘⲠⲞⲨⲥ̣[ⲞⲨ], qui peut être confondue avec celle d'un ο.

l. 22 : ⲁⲓ̄ⲱ[ⲁ]. Il ne faut pas pointer le ⲱ parce qu'on voit la première courbe à gauche et un point de la queue en bas à droite. Il n'y a donc pas de confusion possible avec ⲱ.

l. 23 : il faut pointer le ⲱ de la fin.

l. 24 : la ligne est un peu plus courte, mais il n'y a pas la moindre trace d'encre après Ⲍⲱⲧ̄, au bord du trou, et il y a un assez grand espace entre le ⲧ̄ et ce trou.

l. 25 : Ⲙ̄ⲠⲞⲞⲨ. Il y a un point en haut à gauche dans le ⲩ.

l. 26 : ⲉⲌⲞⲨⲤⲓⲁ. Sous ⲉⲌⲞⲨⲤⲓⲁ on voit un point en bas à droite. Après Ⲭⲉ il y a un point en haut, ou, est-ce le début d'une autre lettre ?

l. 28 : au-dessous du ϥ à l'endroit indiqué on aperçoit un petit point d'encre. Le scribe s'y est-il pris à deux fois pour écrire le Ⲙ suivant ?

p. 137

[ⲣⲁⲌ] : il n'y a aucune trace de la pagination.

l. 1 : il faut lire [ⲁ]ⲨⲘⲞⲨⲌ ⲉⲂⲞⲗ. Les lettres à pointer dans l'ordre sont : Ⲙ (point supérieur gauche); il n'y a pas de doute sur le ο (courbure en haut et en bas); ⲩ a un point à la base et à l'extrémité supérieure droite. On pourrait conjecturer [ⲧϥ ⲉⲃⲟⲗ ϩⲙ ⲡϣⲱⲱⲧ ⲁ]ⲩⲙⲟⲩϩ ⲉⲃⲟⲗ.

l. 2 : pour ⲛϩⲣⲁⲓ nous avons la partie inférieure de la barre oblique du ⲛ; ⲁ a des points à gauche en haut et en bas; on aperçoit le tréma droit ou le bout du montant vertical du ⲓ. Avant le ⲛ on pourrait avoir un ⲉ et on pourrait conjecturer ⲉⲓⲟⲩⲁϩϥ] ⲉⲛϩⲣⲁⲓ ϩⲙ ⲡⲉϥⲟⲩⲭⲁⲓ.

l. 3 : [ⲗⲉ] est possible mais est un peu serré. De ⲭⲉ on aperçoit de ⲭ un point en haut à droite et l'angle inférieur droit. Là où est le premier ⲱ de ⲛ[ⲉ]ⲟⲩϣⲱⲱⲧ on aperçoit un point en bas à droite.

l. 4 : on aperçoit la partie inférieure de la queue du ϣ de ϣⲱⲡⲉ. On voit également des points à gauche et à droite sur la barre horizontale du ⲡ de ⲡⲗⲏⲣⲱⲙⲁ.

l. 5 : le [ⲗ]ⲉ est possible. On aperçoit le coin inférieur droit du ⲁ de ⲁⲙⲁϩⲧⲉ.

l. 7 : le troisième ⲧ de ⲉⲧⲧⲁⲕⲏⲟⲩⲧ et le point sont dans le prolongement l'un de l'autre.

l. 10 : on aperçoit du ⲭ un point en haut et en bas à droite ou encore tout le montant oblique droit. Du premier ⲧ de [ⲛ]ⲧⲱⲧⲛ on voit l'extrémité droite de la barre et le début du montant. On pourrait confondre avec un ⲡ.

l. 11 : on voit la base des deux ⲟ de ⲛ[ⲧ]ⲟⲟⲩ et un point en bas du ⲩ.

l. 12 : ⲧⲉⲧⲛϩⲉ : on voit un petit morceau de la base et la barre horizontale gauche du ⲧ et la base de la courbure du ⲉ.

l. 13 : du ⲛ de [ϩⲓ]ⲛⲁ on a le montant vertical droit.

l. 14 : ⲙⲙⲟⲟⲡ : le ⲟ est très clair, entièrement conservé.

l. 15 : on aperçoit du ⲙ de ⲙⲟⲥ le coin supérieur droit.

l. 19 : on voit le coin inférieur droit du ⲙ de ϩⲙ.

l. 21 : on a une trace du montant extérieur droit du premier ⲙ de [ⲛ]ⲙⲙⲁⲩ.

l. 22 : une trace du montant extérieur droit du ⲙ de ⲙⲛ apparaît vers le haut.

l. 27 : ⲛⲧⲉ ⲡⲁⲉⲓⲱⲧ. On lit très nettement le ⲁ à la lumière ultra-violette (courbure de base et montant extérieur). Faut-il compléter ⲡⲁⲉⲓⲱⲧ? Il semblerait qu'il y ait trop de place pour un ⲉ, mais c'est un endroit où le papyrus est étiré (depuis la fin de la l. 24 jusqu'à la fin du feuillet).

l. 30 : ϩⲓ : les traces d'encre qui suivent sont une surimpression visible par transparence de la p. 139 sur la p. 138. Ces traces sont visibles à la lumière ultra-violette depuis le début de la page (10ᵉ ligne environ). Il n'y a rien après le ϩι.

p. 138

[ρλΗ]. Il n'y a aucune trace de pagination.

l. 1 : on pourrait conjecturer м̄π̄ρ[. .]λʙ[ϩΗτ, vu que le λ est presque sûr, cf. p. 140,21-22. La barre du м̄ serait dans la déchirure; en revanche on voit l'extrémité de la barre du ρ̄.

l. 2 : ϗλτλ θε : on voit bien l'attache de la barre intérieure du θ, et du ε on aperçoit une trace de la courbe à gauche. Du π de ετλϊρϣρπ̄ on aperçoit le coin supérieur gauche. Il faut lire n̄ϫο[ο]ϛ : on aperçoit l'extrémité supérieure gauche et le coin inférieur droit de ϫ; du ο on a une pointe en bas à droite et du ϛ, le tracé inférieur droit.

l. 3 : τοτε : on a du ε la trace inférieure gauche de la courbe liée à la barre du τ.

l. 4 : εʙρΗϭεϛ : la base du ʙ est claire; nous pointons le ϛ à cause du risque de confusion avec ε. Le ρ présente un point en bas et un point en haut à droite.

l. 9 : λ[γ]ω : le λ a un point en haut et en bas à gauche.

l. 10 : εθιΗм : on aperçoit un reste du montant vertical gauche du Η et deux points à la base du м. Il ne faut pas pointer le n de la fin. On en voit le montant vertical droit. De plus, le trait vocalique est bien visible.

l. 11 : м̄nnε[γ] : le deuxième n n'est pas à pointer, on en aperçoit deux points en bas à gauche et à droite. Du ε on voit une partie de la courbe en bas à gauche.

l. 12 : on a du ε de la fin une trace du sommet extérieur de la courbe (à mi-hauteur au-dessus de la ligne).

l. 14 : εγϫω : le γ est écrit sur un ϥ gratté, et le ω présente une trace d'encre en haut à gauche.

l. 15 : on aperçoit du ε de πεnϫ[ο]ε[ιϛ] une trace de la courbe supérieure.

l. 17 : on voit le bas du lobe gauche du ω de εϥϫω.

l. 18 : on a du deuxième τ de ετʙΗΗτ̄[n] le début de la barre horizontale à gauche.

p. 139

[ρλθ] : Il n'y a aucune trace de pagination.

La conjecture d'une première ligne est basée sur les facteurs suivants :

la p. 137 a 30 lignes; la première ligne visible de la p. 138 est d'une ligne plus haute que la première ligne visible de la p. 139. Et les transitions de la p. 138 à la p. 139 sont plus faciles, si une ligne est ajoutée en haut de la p. 139 et de la p. 140.

l. 2 : ⲡ[ⲉⲛ]ⲓⲱⲧ̅ : au-dessus du ⲓ il y a des traces de lettres appartenant à la l. 1 : ⲣ, ⳋ, ⲯ ou ⳝ.

l. 3 : il est à se demander s'il ne faut pas lire ⲙ ⲝⲉⲕⲁⲁⲥ ⲉⳋ : du ⲙ on a la pointe supérieure droite qui est assez épaisse; du ⲉ on a la trace de la courbe en bas à gauche et du ⳋ on a un point de la queue en-dessous de la ligne, mais ⲱ est possible.

l. 4 : ⲉⲣⳍ : les deux lettres manquantes pourraient être : 1) un ⲉ dont on aperçoit la barre transversale, à moins que ce ne soit la queue d'un ⲁ; 2) un ⳍ dont on a la partie inférieure. On pourrait lire ⲉⲣⳍ[ⲁⲓ̈] ou ⲁⲣⳍ[ⲁⲓ̈].

l. 5 : ⲁⲩ]ⲣⲁⲱ[ⲉ] ⲉ[ⲙⲁ]ⲧⲉ : on a du ⲣ le tracé supérieur droit, il y a un point du tracé inférieur du ⲉ, et on aperçoit du ⲧ la barre verticale et la moitié droite de la barre horizontale. On pourrait toutefois le confondre avec un ⲡ.

l. 6 : la base et presque toute l'aile droite du ⲩ de ⲁⲩⲉ̄ⲓ est visible.

l. 8 : on aperçoit un point en haut du ⲟ de ⲡⲭ]ⲟⲉⲓⲥ.

l. 10 : le bas du ⲭ de ⲡⲉⲭⲁⳋ manque.

l. 11 : tout le morceau avant ⲡⲉⲛⲭⲟⲉⲓⲥ manque aujourd'hui sur l'original (lacune d'au moins deux lettres), alors qu'une ancienne photo de Jean Doresse révélait [. .]ⲉ. Il faudrait peut-être lire ⲉⳍ.

l. 12 : on voit le bas du ⲧ̄ de ⲁⳋ]ⲧ̄.

l. 17 : il faut corriger ⲱⲡⲓⲓⲧⲥ en ⲱⲟⲛⲧⲉ.

l. 20 : dans ⲟ[ⲩ]ⲙⳍ.ⲁⲟⲩ on a du ⲟ une partie de la courbe en bas à droite et du ⲙ un point en bas à droite.

l. 22 : du ⲉ de ⲡⲉⲓ̈ⲭⲓ on voit la partie supérieure droite et le long filet intérieur. Il ne faut pas pointer.

l. 24 : il y a un espace entre le ⲱ et le ⲃ de ⲛ̄ⳍ.ⲱⲃ. C'est dû à un étirement du papyrus. Il y a un espace semblable à la l. 26 entre le ⲙ et le ⲡ de ⲙ̄ⲡⲓⲱⲧ et à la l. 27 entre ⲧ et ⲧ̄ de ⲛⲁⲧ̄ⲧ̄ et des deux côtés du ⲭ de ⲡⲓⲁⲣⲭⲏⲅⲟⲥ. À la l. 21 il y a un espace blanc entre les deux points et ⲛⲁⲥⲛⲏⲩ.

p. 140

[ⲣⲙ] : il n'y a aucune trace de la numérotation.

Il n'y a rien de visible de la première ligne.

l. 2 : ⲧⲣⲟⲥ ⲁⳋ[ⲥ]ⲱⲟ[ⲩⳍ : le ⲧ a un point à mi-hauteur du trait vertical; le coin inférieur gauche du ⲁ est visible; ϥ a le bas du trait vertical; il reste du ⲱ la moitié droite, et aucune confusion n'est possible avec ⲩ; enfin, du ⲟ on a le tracé inférieur gauche.

l. 3 : [.]ⲡⲉ ⲉϥⲭⲱ ⲙ̄[ⲙⲟⲥ ⲭⲉ ⲡⲉⲛⲭⲟⲉ]ⲓⲥ̣ ⲓ̣[ⲥ̄] : ⲡ paraît l'hypothèse la plus probable, mais on pourrait aussi penser à [.]ⲓⲧ ou ⲛⲧ; ⲙ̣ se voit distinctement, on a le début du trait vocalique et des traces d'encre en bas; on voit un point en bas du ⲓ̣; du ⲥ̣ on voit un point au bout de la courbe en bas à droite; et du dernier ⲓ on voit le bas de la lettre.

l. 4 : le ⲥ de ⲁⲣⲭⲏⲅⲟⲥ n'est pas à pointer. Aucune confusion n'est possible ni avec ⲉ ni avec ⲟ. Du ⲛ qui suit on aperçoit un trait vertical en bas à gauche et une partie de la barre oblique. Il pourrait s'agir de ⲛ̣[ⲁⲛ. Dans ⲙ̄ⲧⲟ[. le ⲟ est sûr. Il y a place pour une lettre à l'intérieur du crochet, peut être ⲙ̄ⲧⲟ[ⲛ. On pourrait encore lire ⲛ̄[ⲧⲉ ⲡⲉ]ⲛⲙ̄ⲧⲟ[ⲛ].

l. 5 : dans ⲛ̄ⲧⲉ, ⲛ et ⲧ sont à pointer. De ⲛ̣ on aperçoit la partie inférieure du trait vertical gauche, de ⲧ̣, un point à la base et la jonction avec le ⲉ. Il ne faut pas pointer le ⲓ de ⲟⲩⲉⲡⲓ[ⲥ], il dépasse le ⲡ d'une façon caractéristique qui exclut toute confusion avec un ⲛ, par exemple.

l. 6 : on peut lire à la fin de la ligne ou ⲉⲛⲉ̣ (il resterait de cette dernière lettre la partie inférieure gauche de la courbe) ou ⲉⲛⲟ̣, bien qu'il soit difficile d'ajouter une lettre.

l. 7 : du ⲉ̣ de ⲁⲡⲉⲧ[ⲣⲟⲥ] on voit la partie de la courbure médiane à gauche.

l. 9 : du ⲟ̣ de ⲟⲩⲡ̄ⲛ[ⲁ on aperçoit la partie inférieure de la courbe droite.

l. 11 : ⲁⲩⲡⲱⲣ̄ⲭ̣ est presque certain. Du ⲣ nous avons la hampe verticale et l'amorce de la courbe. Peut-être vaudrait-il même mieux ne pas pointer. On voit le coin inférieur gauche du ⲭ.

l. 13 : du ⲛⲉ[ⲩ de la fin il ne faut pas pointer le ⲉ, car on distingue la courbe finie en haut à droite, ce qui évite toute confusion avec ⲑ, et on aperçoit la barre médiane, ce qui évite la confusion avec ⲥ ou ⲟ.

l. 14 : ⲙ̄ⲙⲟⲟⲩ : on voit l'aile gauche du ⲩ.

l. 15-16 : il y a un trait entre la ligne 15 et 16.

l. 16 : ⲉϥⲭⲱ : la partie droite du ⲱ manque. ⲩ est donc matériellement possible, même si c'est improbable du point de vue du sens.

l. 19 : dans le ⲉϥⲉ on aperçoit du dernier ⲉ̣ la courbe à gauche et la barre médiane.

l. 21 : il y a un espace entre le ⲩ et le ϭ de ⲟⲩϭⲁⲙ, dû à un étirement du papyrus, qui se prolonge jusqu'à la l. 26. Il y a un semblable espacement entre le ʙ et le ϩ de ϭⲁʙϩⲏⲧ de la l. 22, entre le ⲉ et le ϩ de ⲉϩⲣⲁⲓ̈ de la l. 25 et entre le ⲉ et le ⲧ de ⲉⲧⲁϣⲉ de la l. 26.

l. 22 : ⲛⲉⲙⲏ⸗ est la forme fayoumique de ⲙⲛ̅.

l. 23 : il faut lire ⲁⲛ<ⲁ>ⲡ[ⲟ]ⲥⲧⲟ au lieu de ⲁⲛⲟⲡ[ⲟ]ⲥⲧⲟ.

l. 27 : on aperçoit le coin supérieur gauche du ṇ de ⲉⲓⲣⲏṇ[ⲏ] : >—

COMMENTAIRE

p. 132

l. 10-15. Comme toutes les Lettres de l'Antiquité, PiPhil débute par une salutation, contrairement à la soi-disant *Épître à Rhèginos* (Rheg) sur la Résurrection, du Codex I, laquelle est un traité complet, cf. M. L. PEEL, *The Epistle to Rheginos. A Valentinian Letter on the Resurrection.* Introduction, Translation, Analysis and Exposition (*The New Testament Library*), Londres, 1969, p. 7-12. À la l. 15 ϫⲉ, ϫⲁⲓ ou ϫⲁⲓⲣ semblent être l'abréviation de χαίρε, selon l'usage des papyrus grecs. La longueur habituelle des lignes suggère une abréviation. La présence du ⲉ est due à un itacisme.

l. 16 - p. 133,8a. La Lettre reprend les motifs essentiels des discours de mission : les Apôtres sont envoyés pour prêcher. Dans les Évangiles ils sont envoyés deux par deux (*Mc*, 6,7). Depuis les *Actes des Apôtres* (8,4-5.26-40) il s'est constitué des traditions apocryphes ou gnostiques qui se sont cristallisées par exemple, dans les *Actes de Thomas* ou dans l'EvTh ou, encore, dans les *Actes de Philippe* ou l'EvPhil. Le caractère valentinien de ce dernier (cf. J. É. MÉNARD, *L'Évangile selon Philippe*, Introduction, p. 10-29) pouvait rapprocher les milieux dans lesquels il est né des milieux gnostiques qui faisaient remonter leur tradition jusqu'à Pierre. Du fait que Philippe était séparé (p. 133,2), il était en dehors du Plérôme, c'est-à-dire du rassemblement, cf. EvTh, Logion 61 et J. É. MÉNARD, *L'Évangile selon Thomas*, p. 161-162. Sur la tradition de Pierre dans la tradition apocryphe, cf. M. MEES, « Das Petrusbild nach ausserkanonischen zeugnissen », *ZRGG* 27 (1975) 193-205.

Aux l. 18-19 la présence d'une expression comme « Sauveur de l'univers » est assez étonnante. Le « monde » a généralement un sens péjoratif dans la gnose. C'est le cas dans l'EvTh, cf. J. É. MÉNARD, *op. cit.*, Index, s.v. *monde*, p. 222. Dans l'EvPhil (p. 52,19-24; 70,9-17), le Christ peut être un Démiurge-créateur dont la fonction est de créer et de reconstituer le monde (cf. *Ext. Théod.*, 43; 47; PTOLÉMÉE, *Lettre à Flora*, 3,6 Quispel; HÉRACLÉON, in ORIGÈNE, *in Joh.*, I,3, II,14, p. 70, 3-71,2) et surtout de former le spirituel déchu dans le monde sous forme de semence spirituelle, produit de la Sophia, cf. IRÉNÉE, *Adv. Haer.*, I,1-8; *Ext. Théod.*, 35,2. Le même Évangile de Nag Hammadi (p. 60,15-34) nous présente un Christ qui avec l'Esprit-Saint gouverne et maintient le monde inférieur. On pourrait reconnaître dans ce couple le Sauveur et l'Achamoth, la Sophia inférieure, dont l'œuvre est de diriger le *cosmos*, cf. IRÉNÉE, *op. cit.*, I,4,1. Et l'un des rôles du Christ des *Fragments* d'Héracléon est de semer dans le monde les semences spirituelles, qui sont la partie la plus noble de l'homme et qui sont dignes de salut, cf. HÉRACLÉON, in ORIGÈNE, *op. cit.*, IV,37, XIII,48, p. 276,18-277,1. Un rôle analogue est attribué à la Sophia dans l'ApocrJn (cf. BG, p. 51,17-52,1) : par l'intermédiaire du Démiurge elle insuffle dans l'homme une substance lumineuse qui le rend semblable à l'image de Dieu. Si l'on se rappelle que, selon les doctrines gnostiques, ce sont ces particules de lumière qui, de l'intérieur, soutiennent le monde extérieur, on peut dire du Christ qu'il soutient le monde à un titre éminent.

p. 133,8b-134,9

Après avoir reçu la Lettre lui annonçant la Bonne Nouvelle, — ce qui est un thème gnostique, par exemple, dans le *Chant de la Perle* —, Philippe exulte de joie, ce qui est un autre thème gnostique, cf. J. É. MÉNARD, *L'Évangile de Vérité*, p. 71.

Les Apôtres se rassemblent avec Philippe sur le Mont des Oliviers. La montagne appartient au scénario classique de la gnose. Depuis le Thabor, c'est toujours sur une montagne que le Christ se révèle à ses disciples. Le Mont des Oliviers est particulièrement bien désigné à cet effet (cf. ApocrJn [BG], p. 20,5-6; SJC [BG], p. 77,9-79,18), parce que c'est la montagne de l'olivier d'où vient l'onction des élus (cf. LVPIIII, p. 77,17-19). La montagne habitation de la divinité, est dans la tradition primitive, comme chez Origène, par exemple, une limite entre les élus et la masse des chrétiens, cf. J. É. MÉNARD, « Transfiguration et polymorphie chez Origène », in EPEKTASIS (Mélanges J. DANIÉLOU), éd. J. FONTAINE, Ch. KANNENGIESSER, Paris, 1972, p. 367-372.

À deux reprises (l. 12 et 16) il est fait mention du rassemblement déjà mentionné plus haut (p. 133,3). Le rassemblement est un thème fondamental de la gnose, c'est la σύλλεξις qui permet à la communauté des élus de mieux combattre les Archontes. Dans les gnoses, c'est plus particulièrement lorsque la Mère-Sophia a réuni toutes les parcelles de divinité qui sont ses membres qu'elle peut traverser les sphères des Archontes et se libérer de ces derniers, cf. J. É. MÉNARD, « Le 'rassemblement' dans le Nouveau Testament et la Gnose », in *Studia Evangelica*, VI, éd. E. A. LIVINGSTONE (*TU*, 112), Berlin, 1973, p. 366-371.

Et, contrairement à Thomas (cf. J. É. MÉNARD, *op. cit.*, Introduction, p. 18-22), la Lettre insiste sur la nécessité de la prière. Comme les prières des premiers chrétiens ou des martyrs (cf. A. HAMMAN, « La Résurrection du Christ dans l'Antiquité chrétienne », *RevScR* 50 [1976] 1-24), les deux prières des p. 133,20-134,9 s'adressent sous une forme ternaire au Père des Éons incorruptibles (l. 23) et de la Lumière et au Fils, le Rédempteur, et les disciples lui demandent de les délivrer d'ennemis qui ne sont autres que les Archontes. Entre ceux-ci et les pneumatiques il y a la différence de l'incorruptibilité des enfants nés de la génération spirituelle et la corruptibilité des Archontes et du monde né de la chute (p. 135,9ss), cf. ApocrJn (BG), p. 61,6; dans le valentinisme (cf. F. M. M. SAGNARD, *La gnose valentinienne et le témoignage de saint Irénée*, Index, s.v. ὑστέρημα, p. 658), cette corruptibilité est celle de Sophia et du Démiurge qui voulurent imiter le monde éternel du Plérôme, cf. ApocrJn (BG), p. 36,16ss; 44,11ss; HypArch, p. 86,30ss; *Évangile de Vérité* (EvVer), p. 17,18-21; IRÉNÉE, *op. cit.*, I,5,1ss; 17,2; HIPPOLYTE, *Elenchos*, VI,54,1-2. Le spirituel, pour vaincre les Puissances, doit être fort (p. 134,8), la force étant le privilège du spirituel (δύναμις), cf. IRÉNÉE, *op. cit.*, I,2,2.4.6; I,21,3.

p. 134,9-135,8

L'apparition du Révélateur à la suite de ces prières est accompagnée de lumière, ce qui est un autre élément du scénario gnostique, et une voix se fait entendre comme dans l'ApocrJn (BG), p. 47,14-49,9 par. Cette voix va susciter des questions de la part des disciples.

Le Révélateur exige d'abord de ses disciples d'écouter sa parole pour qu'ils n'aient pas à le chercher, comme au Logion 38 de l'EvTh, cf. J. É. MÉNARD, *op. cit.*, p. 138. S'ils reconnaissent sa voix, c'est qu'ils l'ont déjà découvert, la découverte étant l'aboutissement de la recherche, cf. EvTh, Logion 2 et J. É. MÉNARD, *ibid.*, p. 78-80. Le Christ des Évangiles est avec les siens jusque dans l'éternité, cf. *Mt.*, 28,20. Mais les disciples des Évangiles manquent souvent de foi.

Suivent alors les questions des disciples auxquelles le Maître va répondre. Ces questions, — celles sur la Déficience et le Plérôme sont classiques dans la gnose —, rappellent étonnamment celles que se pose le valentinien THÉODOTE, *Extraits*, 78,2 et qui constituent l'une des meilleures définitions de la gnose : d'où vient l'homme en ce monde? comment sortira-t-il de ce monde? qu'est-ce que la régénérescence? À ces questions s'ajoutent ici (p. 134,26-135,1) celle de la liberté de parole, — la gnose confère l'ἐλευθερία (cf. EvPhil, p. 77,15-35; 86,8-14) —, et celle du combat des Puissances.

p. 135,8-137,13

La réponse du Christ est en quatre points :

a) La Déficience, le ὑστέρημα, est due (p. 135,8-136,16), tout comme dans la Grande Notice d'IRÉNÉE (*Adv. Haer.*, I,1-8), à la désobéissance de la Mère (Sophia) déraisonnable (cf. le ⲀⲦⳔⲂⲱ de l'EvPhil, p. 65,13) qui voulut façonner un monde extérieur au monde céleste et qui chargea un Démiurge, l'Authadès, et des Archontes (= les Éons morts) de modeler ce monde avec une portion d'elle-même. Ce Démiurge et ces Archontes croient être les seuls dieux et s'enorgueillissent à cette pensée. Et les l. 9ss de la p. 136 ne se comprennent que si on les remet dans le schème mythique initial tel qu'exposé par l'ApocrJn où le Démiurge et ses Archontes forment l'homme matériel (l'ouvrage de mort de la p. 136,19-20) d'après l'image de l'Homme dont ils aperçoivent le reflet dans les eaux inférieures comme à travers un miroir défigurant. Mais ce corps qu'ils produisent demeure inanimé et il faudra le souffle de la Sophia pour le rendre vivant, cf. BG, p. 47,14-49,9; 51,17-52,1 par.; aussi *C.H.*, I,12-19. Le Protarchonte de l'HypArch, qui est aveugle, croit être le Dieu le plus élevé (cf. p. 86,30-31). Il crée un monde avec une portion de la Sophia; μέρος est un terme technique dans l'HypArch (p. 87,12.21; 94,14.32) pour désigner les régions inférieures, et chacune des Puissances, qui sont étrangères au Plérôme, modèle le monde selon sa propre puissance, cf. BG, p. 47,14-49,9; H. M. SCHENKE, *Der Gott « Mensch » in der Gnosis*. Ein religionsgeschichtlicher Beitrag zur Diskussion über die paulinische Anschauung von der Kirche als Leib Christi, Göttingen, 1962, p. 1-71.

b) Au contraire, le Plérôme c'est le Christ (p. 136,16-137,4). Nous sommes en présence de l'aspect chrétien du schème gnostique primitif que l'on retrouve dans l'ApocrJn ou, mieux, dans le valentinisme. Selon IRÉNÉE, *op. cit.*, I,4,1; 8,3, le Christ supérieur assume (ἀνειληφέναι, *assumpsisse*) la masse angélique et humaine et il la concentre en lui-même (ἐν αὐτῷ συνεσταλκέναι, *cum semetipso erexisse*), parce qu'il en est le ferment. Les anges constituent l'élément mâle, dont l'homme ici-bas n'est que l'image; et eux aussi sont émis par l'Un (cf. *Ext. Théod.*, 36,1) : ils retournent dans le Sauveur, lors de la réunion du Soter et de la Sophia. Les semences pneumatiques sont réunies à cette occasion à leurs conjoints, les anges eux-mêmes, cf. *ibid.*, 31,1; 32,2; 34,2; 35; 36; 39; 40; 41,1.2; 42,2. C'est ainsi que le Plérôme est dans le Christ, quand en lui se réunissent les anges et les images. Cette réunion est présentée dans l'EvPhil sous la forme d'un ἱερὸς γάμος, à travers lequel on pourrait également

interpréter l'ExAm du Codex II, cf. J. É. MÉNARD, « L'Évangile selon
Philippe et l'Exégèse de l'âme », in *Les textes de Nag Hammadi* (Colloque
du Centre de Recherches d'Histoire des Religions [Strasbourg, 23-25
octobre 1974], éd. J. É. MÉNARD [*Nag Hammadi Studies*, 8], Leiden,
1975, p. 56-67. Résumant en lui-même toute la perfection du Plérôme,
le Christ est appelé l'Ange dans les *Ext. Théod.*, 35,1; 43,2. L'ensemble
des différents Plérômes, c'est-à-dire des différentes âmes individuelles
réunies à leur esprit, constitue le Plérôme, le Christ, cf. *Extraits de
Théodote*, éd. F. M. M. SAGNARD, Index, s.v. πλήρωμα, πληρώματα,
p. 265.

La Plénitude des élus ainsi sauvés s'appelle la race, les ἴδια (sur la
séparation des ἴδια et des κοσμικά, les *mundialia*, cf. IRÉNÉE, *Adv. Haer.*,
I,21,5; EvVer, p. 21,12-14; 33,13; *Asclepius*, 11; PORPHYRE, *De abstinentia*,
I,30). Ici comme dans l'EvPhil (p. 78,25-79,13), pour pouvoir s'unir
aux êtres plérômatiques comme le Logos et la Lumière, qui passent
inaperçus aux yeux du monde et de ses Puissances, il faut se reconnaître
ou reconnaître son héritage, — un terme classique de la gnose et du
manichéisme —, et c'est ainsi que l'on peut s'unir et s'identifier à eux.
C'est en somme reconnaître sa race, cf. PLOTIN, *Ennéades*, VI,9,7; V,1,1.
Chaque homme authentique est une parcelle de divinité, un morcellement
du Père. Le pneumatique est un μέρος de son ange (cf. *Ext. Théod.*,
22,1; 35,3) et tout le Plérôme se repose dans le Père, cf. EvVer, p. 42,18-37.

Parvenant au Plérôme, la semence pneumatique déchue passe de la
Déficience à la Plénitude. Ce passage de la Déficience à la Plénitude
est symbolisé, par exemple, dans l'EvVer par la centième brebis égarée
qui, unie aux quatre-vingt-dix-neuf autres, rejoint à nouveau l'Unité,
cf. p. 31,35-32,17.

c) Même emprisonné ici-bas, l'homme pneumatique doit devenir
une lumière pour le monde (p. 137,4-9), cf. EvTh, Logion 24. Comme
l'Adam de la littérature intertestamentaire juive ou le Jésus manichéen
(cf. J. É. MÉNARD, « Das Evangelium nach Philippus und der Gnostizismus », in *Christentum und Gnosis*, éd. W. ELTESTER [*BZNW*, 37], Berlin,
1969, p. 46-58), le parfait doit devenir un φωστήρ à l'exemple du Christ
(p. 133,27), qui s'est dépouillé des haillons de la corruptibilité, cf. EvVer,
p. 20,30ss; aussi EvPhil, p. 56,26-57,19.

d) Contrairement aux élus dont le repos est le privilège (cf. P. VIEL-
HAUER, « Ἀνάπαυσις. Zum gnostischen Hintergrund des Thomas-
Evangeliums », p. 281-299), les Puissances sont tourmentées (p. 137,
10-13). Dans l'ApocrJn elles le sont à l'apparition de l'homme, et elles
ne veulent pas qu'il soit sauvé (cf. BG, p. 47,14ss par.) aussi essaient-

elles de le retenir. Dans le valentinisme les Archontes veulent enlever sa liberté à l'homme, cf. EvPhil, sent. 13 (p. 54,18-31), et J. É. MÉNARD, *L'Évangile selon Philippe*, sup. loc. La même tentative de retenir l'homme est à l'origine des différents travaux auxquels les Archontes le soumettent dans le manichéisme, cf. *Kephalaia*, LXIV, p. 157,27-32 Polotsky-Böhlig; aussi Fragment de Tourfân T III 260 (d I et II), cf. F. C. ANDREAS, W. HENNING, *Mitteliranische Manichaica aus Chinesisch-Turkestan*, I (*SPAW*, phil. hist. Kl.), Berlin, 1932, p. 200,7-18. À l'intérieur de l'homme, il y a une substance lumineuse qui le rend supérieur aux Puissances, puisque cette substance lumineuse est celle de Dieu.

p. 137,13-138,17

Les Apôtres demandent alors comment combattre les Archontes, et dans sa réponse le Seigneur enseigne que les principales armes de combat sont le rassemblement (cf. *Évangile selon Philippe*, in ÉPIPHANE, *Panarion*, XXVI,13,2-3:I, p. 292,14-293,1 Holl), la prédication et l'assistance divine. Dans l'EvTh (Logion 21), c'est en se ceignant les reins que le propriétaire de la maison peut se libérer des larrons qui y sont les Archontes du monde, cf. J. É. MÉNARD, *L'Évangile selon Thomas*, p. 112; aussi Logion 98 et 103, cf. J. É. MÉNARD, op. cit., sup. loc. Dans le PSEUDO-PHILON, 20,3 Josué se ceint les reins de la tunique d'intelligence : « Josué prit les vêtements de sagesse et les revêtit, et ceignit ses reins de la tunique d'intelligence. Au moment même où il mettait ses vêtements, sa raison fut embrasée et son esprit ébranlé », cf. M. PHILONENKO, « Essénisme et Gnose chez le Pseudo-Philon », in *Le origini dello gnosticismo* (Colloquio di Messina, 13-18 aprile 1966 [Testi e discussioni pubblicati a cura di Ugo BIANCHI, *Studies in the History of Religions, Supplements to Numen*, 12]), Leiden, 1967, p. 406. Dans l'HypArch, p. 90,15-19 les psychiques mangent du fruit et il leur apparaît que leur mal réside dans leur ignorance et ils comprennent qu'ils sont nus spirituellement; aussi prennent-ils des feuilles de figuier (l'arbre de la gnose) et ils les attachent autour de leurs reins. Comme Noréa de l'HypArch (p. 92,33-94,2), l'âme se tourne vers Dieu et implore son secours (βοηθεῖν) contre les Puissances mauvaises. Elle ne doit pas craindre, cf. EvPhil, p. 65,30 et J. É. MÉNARD, sup. loc., p. 75 et 179. Cette révélation est communiquée aux Apôtres dans un scénario apocalyptique où intervient le Tonnerre (cf. VI,2,13,1ss), c'est-à-dire le *NOYΣ* parfait.

p. 138,7-139,30

Ces deux pages sont consacrées à la mission des disciples et aux souffrances qui l'accompagneront. La mission et la souffrance font l'objet de propos tenus lors d'une remontée à Jérusalem qui est mentionnée à deux reprises, une fois l'apparition terminée (p. 138,2-7). Ce retour à Jérusalem est d'abord mentionné à la p. 138,10 puis à la p. 139,6, après qu'une voix céleste eut annoncé les persécutions des Apôtres dans les synagogues et devant les gouverneurs (*Mt.*, 10,17-18; *Mc*, 13,9; *Lc*, 21,12). On pourrait facilement avoir affaire à deux récits mal agencés par le rédacteur.

La souffrance, qui est réservée aux Apôtres, ressemble à celle du Maître, mais cette dernière ne fut qu'apparente, ce qui est bien dans la ligne de la gnose et du docétisme : le Christ de Basilide n'a pas souffert et il est remonté vers son Père en se riant des Puissances auxquelles il était étranger et invisible, cf. IRÉNÉE, *op. cit.*, I,24,4. Dans l'ApocPi du Codex VII (p. 81,1-32) le Christ qui souffre est un substitut du Christ céleste qui se moque de ceux qui croient le saisir, à savoir les Archontes. Dans le manichéisme le Christ se moque du monde, cf. *Psautier manichéen* copte, p. 191,10-11; 193,28ss; 226,1ss Allberry. Et les parfaits de la sent. 97 (p. 74,24-36) de l'EvPhil remontent au ciel en riant. Le Christ du kérygme, d'ailleurs, se ressuscite lui-même; ce n'est pas le Père qui le ressuscite.

Ceux qui souffrent de fait, ce sont les disciples. Ils constituent les membres de ce que le manichéisme appellera le *Jesus patibilis*. Ce sont les semences spirituelles perdues dans le ὑστέρημα, la *deminoratio* (cf. F. M. M. SAGNARD, *La gnose valentinienne ...*, Index, s.v. ὑστέρημα, p. 658) ou la petitesse comme il est dit ici à la p. 138,20. Le ὑστέρημα est provoqué par la transgression de la Mère-Sophia. Celle-ci, et les Puissances qui l'aident à modeler le monde, sont les hors-la-loi (p. 139,29). Elles ne peuvent saisir l'incommensurabilité du Père (cf. EvVer, p. 24,8; 31,20; 35,10) qui est ainsi comme la source de leur erreur (cf. EvVer, p. 22,27-33; IRÉNÉE, *Adv. Haer.*, I,2,5), alors que le Christ est l'origine (p. 139,27; 140,4) de la vie et du repos des spirituels, cf. IRÉNÉE, *ibid.*, I,2,5.

p. 140,1-27

C'est grâce à leur intelligence des mystères que les disciples peuvent accomplir des miracles (l. 5). L'ἐπιστήμη n'est jamais prise en ce sens dans le N.T. Après s'être divisés pour annoncer la Bonne Nouvelle, les disciples rejoignent leurs compagnons en s'embrassant, ἀσπάζεσθαι étant un terme technique dans les textes gnostiques pour désigner l'unité dans le rassemblement, mais on ne saurait dire s'il s'agit ici d'un baiser, comme aux sent. 31 (p. 58,33-59,6) et 55 (p. 63,30-64,5) de l'EvPhil, ou simplement d'une salutation.

Après une dernière vision du Christ qui leur assure la joie, la paix et la puissance, — lesquelles sont à l'opposé de la passion psychique de crainte et constituent les éléments de la salutation finale habituelle des Lettres (cf. *Rom.*, 1,17; Rheg, p. 50,14) —, les disciples sont envoyés pour prêcher le quadruple Évangile, les quatre messages (l. 25). Si telle est bien l'interprétation qu'il faille donner à ce passage, cela signifierait que l'auteur connaissait les quatre Évangiles. On pourrait situer l'original grec de sa Lettre dans la deuxième moitié du deuxième siècle. Mais il ne s'agit vraisemblablement ici que des quatre points cardinaux.

INDEX

L'ordre de classement retenu dans l'index copte est celui du dictionnaire de Crum. Lorsque la forme type choisie par Crum n'est pas attestée dans le texte, elle est indiquée entre parenthèses.

Les variantes orthographiques ont été relevées systématiquement; lorsque plusieurs variantes orthographiques sont attestées pour un même vocable (dans l'index copte comme dans l'index grec), elles sont identifiées par un chiffre placé en exposant.

Les références correspondant à des reconstitutions sont indiquées entre crochets.

INDEX GREC

(αἰών) ⲉⲱⲛ m. éons (pl.)
134,22; 135,9.15.21.25.

ἀλλά mais
[135,7]; 136,3; 139,22.

(ἀμήν) ϩⲁⲙⲏⲛ amen!
140,15.

ἄνομος sans-loi
139,29.

ἀπόστολος m. apôtre
132,12; 133,18; 134,19; 137,13;
138,8; 139,4; 140,8.23.

ϣⲃⲏⲣⲁⲡⲟⲥⲧⲟⲗⲟⲥ m. compagnon d'apostolat
132,14.

ἀρχηγός m. origine
139,27; 140,4.

ἄρχων m. archontes (pl.)
137,16.17.21.

(ἀσπάζεσθαι) ⲣ ⲁⲥⲡⲁⲍⲉ embrasser, saluer
140,14.

αὐθάδης présomptueux, Authadès
135,16.18.21; 136,5.

ἀφθαρσία f. incorruptibilité
133,23.

(βοήθειν) ⲣ ⲃⲟⲏⲑⲓ aider
137,29.30.

γάρ car, en effet
133,26; 137,21; 139,12.26.

δέ et, mais etc.
132,16; 133,1; 135,17; 136,1.5.11.
16.20.23; 137,[3].5.10.20.[23];
138,11.27; 139,4.9; 140,19.22.

(εἰκών) ϩⲓⲕⲱⲛ f. image
136,9.[9].

εἰρήνη, ⲓⲣⲏⲛⲏ[1] f. paix
140,17.27[1].

ἐντολή f. ordre
133,7.

ϫⲓ ⲛϩⲉⲛⲉⲛⲧⲟⲗⲏ ⲛⲧⲟⲟⲧ⸗
recevoir des ordres de
132,17.

ἐξουσία f. liberté, pouvoir, Autorités (pl.)[1]
135,[1].24[1]; 136,12.26.

(ἐπειδή) ⲉⲡⲓⲇⲏ aussi bien, car, puisque
134,8; 136,2; 137,2.12.16.

ἐπιστήμη f. intelligence
140,5.

ἐπιστολή f. lettre
132,10.

ἤ ou
134,25 bis.26; [135,2].

(ἡγεμών) ϩⲏⲅⲉⲙⲱⲛ m. gouverneur
138,26.

(ἰδέα) ⲉⲓⲇⲉⲁ f. idée
136,15.

(ἵνα) ϩⲓⲛⲁ afin que, que
[137,13]; 140,6.

κατά ainsi que, comme, selon
133,7.24; 136,24; 137,11; 138,2;
139,25.

κληρονομία f. héritage
136,27.

κόσμος m. monde, univers
132,19; 135,27; 137,24.

μαθητής m. disciple
139,10.

μακάριος bienheureux
133,16.

μέν vraiment
135,9.

μέρος n. portion
135,18.22.

μορφή f. forme
136,10.[10].

(ὅταν) ϩΟΤΑΝ lorsque, quand
133,17; 138,3; 139,11.

οὐδέ non plus
138,28.

οὖν aussi, donc
133,6; 139,29.

παράβασις f. transgression
139,23.

(παρρησία) ΠΑΡϨΗΣΙΑ f. liberté
de parole
135,1.

πλάσμα n. ouvrage
136,19.

(πλάσσειν) ΠΛΑΣΣΑ modeler
136,12.

πλήρωμα n. Plérôme
134,22; 136,16; 137,4.

(πνεῦμα) ΠΝΑ n. esprit, ΠΝΑ
ΕϤΟΥΑΑΒ¹ Esprit saint
139,14¹; 140,5.9¹.

πῶς comment?
134,23.25.26.

σπέρμα n. semence
136,18.

στολή f. vêtement
139,18.

συναγωγή f. synagogue
138,25.

σῶμα n. corps
133,17; 136,13.17; 138,3; 139,11.

σωτήρ Sauveur
132,18.

τότε alors
133,12.17; 134,9.18; 135,3; 137,7.
13.17; 138,3.7.21; 140,7.15.23.

(φορεῖν) ρ ϤΟΡΕΙ porter
139,16.

φωστήρ m. luminaire
133,27; 137,8; 139,15.
cf. ʾΙησοῦς

(χαίρειν) ΧΕΙΡΕ salutations!
[132,15].

ὡς comme
137,29.

ὥστε afin que, de sorte que
134,11; 138,27.

INDEX DES NOMS PROPRES

INDEX COPTE

ⲕⲗⲟⲙ m. couronne
139,17.

ⲕⲱⲧⲉ, ⲕⲟⲧ⸗[1] répéter
134,2[1].

ⲕⲱⲧⲉ ⲛⲥⲁ- pourchasser
134,9.

ⲕⲱⲧⲉ ⲉϩⲣⲁⲓ ⲉ- retourner
138,10[1].

(ⲕⲱϩ) ⲣⲉϥⲕⲱϩ m. contrefacteur
136,8.

ⲙⲁ m. lieu
133,15;134,25; 138,7.

ⲙⲁ ⲛϣⲱⲡⲉ m. demeure
134,24.

ⲉⲡⲙⲁ ⲛ- à la place de, pour
136,9.10.

ⲉⲩⲙⲁ cf. ⲉⲓ

(ⲙⲉ) ⲙⲉⲣⲉ- exprimer le désir
133,3.

ⲙⲉⲣⲓⲧ bien-aimé
132,14.

(ⲙⲟⲩ) ⲙⲟⲟⲩⲧ† mourir
135,26; 136,13.20.22; 137,9; 139,
21.

ⲙⲛⲧⲁⲧⲙⲟⲩ f. immortalité
134,5.7.

(ⲙⲕⲁϩ) ϫⲓ ⲙⲕⲁϩ souffrir
138,16.18.20.24.27.28; 139,23.

ϫⲓ ⲙⲕⲁϩ m. souffrance
139,22.

(ⲙⲙⲛ-) ⲙⲙⲛⲧⲁ⸗ ne pas avoir
137,11.

(ⲙⲁⲉⲓⲛ) † ⲙⲁⲉⲓⲛ ⲉ- donner des
signes
139,12.

ⲙⲛ- ⲛⲙⲙⲁ⸗[1] ⲛⲉⲙⲏ⸗[2] avec, et
132,14.15.15[1].18; 133,16; 134,18.
22; 135,2[1].11.24; 136,10; 138,4.
26; 140,8.18.20.21.22[2]. cf. ⲉⲣⲏⲩ

(ⲙⲛⲧⲣⲉ) ⲣ ⲙⲛⲧⲣⲉ témoigner
135,5.

ⲙⲉⲣⲉ-, ⲙⲉⲣⲓⲧ cf. ⲙⲉ

(ⲙⲁⲧⲉ) ⲉⲙⲁⲧⲉ beaucoup
[139,5].

(ⲙⲏⲧⲉ) f. ϩⲛ ⲧⲙⲏⲧⲉ ⲛ- au milieu de
137,9.

ⲙⲟⲩⲧⲉ appeler
133,14.

ⲙⲧⲟⲛ m. repos
137,11; [140,4].

(ⲙⲁⲩ) ⲉⲧⲙⲙⲁⲩ celui-là
138,7.

ⲉⲙⲁⲩ là
133,16.

ⲙⲁⲁⲩ f. mère
135,12; 139,23.

ⲙⲉⲉⲩⲉ penser
136,21.

ⲙⲏⲏϣⲉ m. multitude
139,9.

ⲙⲟⲟϣⲉ ϩⲣⲁⲓ ϩⲛ- marcher dans
139,30.

ⲙⲟⲩϩ ⲉⲃⲟⲗ ϩⲛ- être rempli de
139,14; 140,9.

ⲙⲟⲩϩ ⲉⲃⲟⲗ m. plénitude
[137,1].

(ⲙϩⲁⲁⲩ) ⲙϩⲁⲟⲩ m. tombe
139,20.

(ⲛⲟⲩ) ⲛⲛⲏⲩ† aller
138,10.

ⲛⲓⲙ quiconque, tout
138,9; 139,12.24.

ⲟⲩⲟⲛ ⲛⲓⲙ cf. ⲟⲩⲟⲛ

ⲛⲟⲩⲧⲉ m. dieu
133,7.

ⲛⲧ⸗ cf. ⲉⲓⲛⲉ

ⲛⲧⲟⲕ, ⲛⲧⲱⲧⲛ, ⲛⲧⲟⲟⲩ, ⲛⲧⲟϥ
cf. ⲁⲛⲟⲕ

ⲚⲦⲚ-, ⲚⲦⲞⲞⲦ⸗ cf. ⲦⲰⲢⲈ

ⲚⲀⲨ voir
140,8.

ⲚⲚⲎⲨ cf. ⲚⲞⲨ

ⲚⲞⲨⲒⲘ être sauvé
137,13.

ⲚⲀⲠⲦⲈ Ⲉ- croire
140,18.

ⲘⲚⲦⲀⲦⲚⲀⲠⲦⲈ f. incrédulité
135,7.

(ⲚⲞⲨⲮⲈ) ⲚⲞⲮ⸗ ⲈⲮⲚ- mettre sur
133,19.

ⲚⲞⳓ grand
134,10.

ⲘⲚⲦⲚⲞⳓ f. grandeur
135,13.

(ⲞⲈⲒⳠ) ⲦⲀⳠⲈ ⲞⲈⲒⳠ prêcher
140,12.26.

ⲦⲀⳠⲈ ⲞⲈⲒⳠ ⲠⲢⲀⲒ ⲠⲚ
132,21.

ⲞⲖ⸗ cf. ⲰⲖ

ⲞⳠ cf. ⲰⳠ

ⲠⲈ f. ciel
138,5.7.

ⲚⲦⲠⲈ Ⲛ- au-dessus de
137,17.

ⲠⲰⲢⲮ ⲈⲂⲞⲖ séparer
133,2; 140,11.24.

ⲠⲀⲦ f. genou
133,20.

ⲠⲞⲞⲨ cf. ⲠⲞⲞⲨ

(ⲠⲀⲠⲢⲈ) Ⲣ ⲠⲀⲠⲢⲈ guérir
139,8.

(ⲠⲈⲮⲈ-) ⲠⲈⲮⲀ⸗ ⲮⲈ dire que
139,10.15.

(ⲢⲞ) ⲢⲰ⸗ m. bouche
139,9.

ⲢⲰⲘⲈ m. homme
136,22; 137,9.22.

ⲢⲀⲚ m. nom
139,7; 140,19.

ⲢⲠⲈ m. temple
139,6.

(ⲢⲎⲦⲈ) ⲚⲀⳠ ⲚⲢⲎⲦⲈ de quelle
façon?
134,26.

ⲢⲀⳠⲈ se réjouir
135,26; 139,5.

ⲢⲀⳠⲈ m. joie
133,11; 140,20.

(ⲤⲀⲂⲈ) ϯ ⲤⲂⲰ enseigner
132,20; 137,24; 139,7.

ⲤⲘⲎ f. voix
134,13; 135,3; 137,18; 138,21;
139,13.

ⲮⲒ ⲤⲘⲎ Ⲉ- écouter
134,15; 139,13.

ⲤⲘⲞⲨ Ⲉ- louer, bénir
136,5.

ⲤⲘⲞⲨ m. louanges
136,7; 138,9.

ⲤⲞⲚ, ⲤⲚⲎⲨ (pl.[1]) m. frère
132,13.15[1].16; 133,6; 139,13[1].21[1].
28[1].

(ⲤⲞⲠ) m. fois

ⲚⲔⲈⲤⲞⲠ de nouveau
134,2; 135,8; 137,14.

ⲚⲠⲀⲠ ⲚⲤⲞⲠ bien des fois, souvent
138,23.

(ⲤⲈⲈⲠⲈ) m. reste

ⲠⲔⲈⲤⲈⲈⲠⲈ le reste, les autres
133,13.

(ⲤⲰⲦⲈ) ⲢⲈϤⲤⲰⲦⲈ m. Sauveur
134,7.

ⲤⲰⲦⲘ écouter
136,23.25.

ⲥⲱⲧⲙ ⲉ-
133,24; 134,1.

ⲥⲱⲧⲙ ⲛⲥⲁ-
139,29.

ⲙⲛⲧⲁⲧⲥⲱⲧⲙ f. désobéissance
135,10.

ⲥⲟⲟⲩⲛ, ⲥⲟⲩⲱⲛ⸗[1] connaître
136,1.20[1].

ⲥⲱⲟⲩϩ rassembler
133,12.16; [140,2].

ⲥⲱⲟⲩϩ ϣⲁ- rejoindre
140,13.

(ⲥⲁϩⲛⲉ) ⲟⲩⲁϩ ⲥⲁϩⲛⲉ m. ordre,
commandement
135,13.

ⲥⲁϩⲟⲩⲛ cf. ϩⲟⲩⲛ

† donner
134,8; 136,26; 140,5.

† ⲙⲛ-, ⲛⲙⲙⲁ⸗[1] combattre
135,2[1]; 137,10.16.20[1].21.23[1].

† ϩⲓⲱⲱ⸗ revêtir
139,17.

cf. ⲙⲁⲉⲓⲛ, ⲥⲁⲃⲉ, ϣⲓ, ϭⲟⲙ

ⲧⲱⲃϩ m. prière
137,28.

(ⲧⲁⲕⲟ) ⲧⲁⲕⲏⲟⲩⲧ† être corrompu
137,7.

ⲧⲉⲗⲏⲗ se réjouir
133,11.

ⲧⲁⲗϭⲟ m. guérison
140,11.

ⲧⲁⲙⲓⲟ modeler
136,8.

ⲧⲁⲙⲟ enseigner
137,15.

(ⲧⲱⲙⲥ) ⲧⲟⲙⲥ⸗ inhumer
139,19.

(ⲧⲛⲛⲟⲟⲩ) ⲧⲛⲛⲟⲟⲩ⸗ ⲉϩⲣⲁⲓ
envoyer
136,17.

ⲑⲏⲣ⸗ tout
132,19; 135,6.27; [140,17].

(ⲧⲱⲣⲉ) ⲉⲃⲟⲗ ϩⲓⲧⲛ- par
132,22.

ⲧⲱⲣⲡ ravir, enlever
138,6.

ⲧⲟⲟⲩ m. montagne
133,14; 134,11.

ⲧⲁⲩⲟ envoyer
137,30.

(ⲧⲱⲟⲩⲛ) ⲧⲱⲛ⸗ ⲉⲃⲟⲗ ϩⲛ res-
susciter
139,20.

ⲧⲟⲩⲛⲟⲥ susciter
135,15.

ⲧⲁϣⲉ cf. ⲟⲉⲓϣ

ⲧⲱϣ, ⲧⲟϣ⸗[1] définir une tâche
133,4[1]; 136,11.

(ⲟⲩ) ⲉⲧⲃⲉ ⲟⲩ pourquoi?
134,16; 135,2.

(ⲟⲩⲁ) ⲡⲟⲩⲁ ⲡⲟⲩⲁ chacun
140,10.

(ⲟⲩⲁⲁ⸗) ⲟⲩⲁⲧ⸗ même
135,5.

ⲟⲩⲟⲉⲓⲛ m. lumière
133,22; 134,6.10; 135,4; 138,12.
ⲣ ⲟⲩⲟⲉⲓⲛ ⲉⲃⲟⲗ ϩⲛ resplendir
134,11.

(ⲟⲩⲟⲛ) ⲟⲩⲛⲧⲁ⸗ être
133,23; 134,26.

(ⲟⲩⲟⲛ) ⲟⲩⲟⲛ ⲛⲓⲙ quiconque
140,18.

ⲟⲩⲱⲛ ⲉ- ouvrir
139,9.

ⲟⲩⲱⲛϩ ⲉⲃⲟⲗ apparaître, mani-
fester
134,10.12; 135,12.16 corr.; 137,
19.27; 138,6; 140,16.

14.19; 138,14.17.22.22²; 140,3.
14.16.

ⲣ ⲱⲣⲡ ⲛ ⲭⲟⲟ= cf. ϣⲱⲣⲡ

ⲭⲉⲕⲁⲁⲥ pour que
139,3.

ⲭⲡⲟ engendrer
135,28.

ⲭⲓⲥⲉ ⲛ ⲍ ⲏⲧ ⲉ ⲍ ⲣⲁ ⲓ̈ ⲉⲭⲛ
s'enorgueillir de
136,6.

ⲭⲟⲉⲓⲥ Seigneur
132,18; 133,1; 134,20; 137,15;
138,9.14.[15]; 139,8.11.25; 140,
[3].12.
cf. 'Iησοῦς

ⲭⲟⲉⲓⲧ m. olive
133,15.

ⲭⲟⲟⲩ envoyer
132,11.

ⲭⲏ ⳓ ⲉ m. pourpre
139,18.

ⳓⲉ alors
135,22; 138,16.

(ⳓⲃⲃⲉ) ⲣ ⳓ ⲁⲃ ⲍ ⲏⲧ craindre
[138,1]; 140,21.

ⳓⲟⲙ, ⳓ ⲁⲙ¹ f. miracle, puissance,
les Puissances²
135,2².23².27²; 136,7².11²; 137,
10².26; 140.7².21¹.27.

† ⳓⲟⲙ doter de puissance
136,4.

† ⲛⲟⲩ ⳓ ⲁⲙ doter de puissance,
fortifier
134,8.

TABLE DES MATIÈRES

Achevé d'imprimer

le 20 janvier 1977

sur les Presses de l'Imprimerie Orientaliste

Boîte postale 41, B-3000 Louvain

pour les Presses de l'Université Laval